DES VACANCES MOUVEMENTÉES

BIOGRAPHIE

Bonnie Bryant est née et a grandi à New York, où elle vit toujours aujourd'hui avec ses deux enfants. Elle est l'auteur de nombreux romans pour la jeunesse mais aussi de novélisations de scénarios de films comme *Chérie, j'ai rétréci les gosses*. La série Grand Galop est née de la passion de Bonnie Bryant pour les chevaux. Cavalière expérimentée, elle dit néanmoins que les héroïnes du Grand Galop, Lisa, Steph et Carole, sont de bien meilleures cavalières qu'elle.

Avis aux lecteurs

Vous aimez les chevaux,
alors continuez à nous écrire.
Pour être sûrs que votre courrier arrive,
adressez votre correspondance à :

Bayard Éditions Jeunesse
Série Grand Galop
3/5, rue Bayard
75008 Paris

Et bravo pour votre Passion de lire !

ILLUSTRATION DE COUVERTURE
MICHAEL WELPLY

DES VACANCES MOUVEMENTÉES

BONNIE BRYANT

TRADUIT DE L'ANGLAIS
PAR VALÉRIE MOURIAUX

PASSION DE LIRE

Pour Emmons B. Hiller

Titre Original
SADDLE CLUB n° 26
Beach ride

Loi n°49-956 du 16 juillet 1949
sur les publications destinées à la jeunesse
Dépôt légal juillet 2000

ISBN : 2 227 757 54 X

Avertissement

Que tu montes déjà à cheval ou que tu en rêves,
que tu aimes le saut d'obstacles, la randonnée
ou la vie des écuries,
la série **Grand Galop** est pour toi.
Viens partager avec Carole, Steph et Lisa
les secrets de leur centre équestre préféré.

Le Club du Grand Galop

Carole, **Steph** et **Lisa**
sont les meilleures amies du monde.
Elles partagent le même amour
des chevaux et pratiquent leur sport favori
au centre équestre du Pin creux.
C'est presque leur unique sujet
de conversation. À tel point qu'elles ont
créé en secret le Club du Grand Galop.
Deux règles à respecter pour en faire partie :
être fou d'équitation et s'entraider
coûte que coûte.

1

– Les filles, je vous présente une nouvelle cavalière, Alice Jackson, annonça Max Regnery. Alice, voici Lisa Atwood, Steph Lake et Carole Hanson.

Les trois membres du Club du Grand Galop démêlaient des brides dans la sellerie, et il leur fallut quelques secondes pour s'extraire du tas de lanières. Elles souhaitèrent la bienvenue à la jeune cavalière, qui esquissa un sourire timide. Alice avait à peu près leur âge. Elle était grande et mince, et sa longue chevelure noire était tressée en une belle natte. Elle tenait une bombe sous un bras, et sa tenue d'équitation portait les traces d'usure du cavalier averti. En un clin d'œil, Steph, Lisa et Carole comprirent qu'Alice n'était pas une débutante en matière de chevaux. Au contraire : elle avait tout l'air d'une mordue d'équitation.

– La reprise commence dans un quart d'heure, déclara Max, qui détestait que ses élèves soient en retard. Est-ce que l'une d'entre vous peut aider Alice à préparer Comanche ?

– Je m'en occupe, lança Lisa. Je monte Barcq aujourd'hui, et il est déjà sellé.

Elle regarda ses amies. Elle se sentait un peu coupable de les abandonner avec cet amoncellement de brides.

– Ne t'inquiète pas ! la rassura Steph. Quatre mains pour démêler ce fouillis suffisent. On se retrouve tout à l'heure !

Carole tira doucement sur une des lanières

enchevêtrées pour voir, à sa grande joie, le tas se défaire.
– Et voilà ! s'exclama-t-elle.
Pendant que Lisa entraînait Alice à l'autre bout de la sellerie, Max se pencha vers Carole et Steph et leur souffla d'un ton confidentiel :
– J'aimerais que vous vous occupiez d'Alice. Elle a peut-être besoin d'amis…
– Bien sûr, Max, pas de problème, le rassura Steph. De toute façon, nous aimons accueillir les nouveaux cavaliers.
– Formidable ! répondit Max. Ah, j'oubliais : les reprises ne changent pas pendant les vacances. À tout à l'heure !
Carole soupira tout en continuant à détortiller les brides. Elle n'était pas sûre d'avoir envie d'évoquer les vacances d'hiver qui commençaient jeudi. Le samedi suivant, elle devait partir avec son père passer cinq jours en Floride. Ce serait amusant, parce qu'ils y rejoindraient leur famille et visiteraient la région. Mais durant presque une semaine Carole ne monterait pas à cheval. À cette seule pensée, elle baissa la tête. Si elle n'était pas

partie, elle aurait pu monter chaque jour ! Ce voyage la démoralisait complètement.

En entrant dans la sellerie, Lisa aperçut l'expression de Carole et comprit ce qui tracassait son amie. Elle lui lança un regard chaleureux, tout en se promettant d'en parler avec elle après la reprise. Pour l'instant, elle devait s'acquitter de sa tâche, qui consistait à aider Alice Jackson.

– Tu vas adorer Comanche, lui dit-elle. Je l'ai monté plus d'une fois. Il a une super allure, mais il peut être têtu. Tu dois être une bonne cavalière pour que Max te le confie. Tu as fait beaucoup d'équitation ? Moi, je monte depuis deux ans. Steph et Carole sont meilleures cavalières que moi, mais j'aime apprendre, et Max dit que je ne me débrouille pas si mal. Est-ce qu'il t'a fait passer un test ? Moi, j'ai dû passer un test quand je suis arrivée au Pin creux.

Lisa allait poser d'autres questions quand elle s'aperçut qu'Alice riait.

– Je suis une vraie pipelette, c'est ça ? s'exclama Lisa.

Alice acquiesça.
– J'essaie simplement de t'aider, ajouta Lisa, embarrassée.
– Je sais, répondit Alice. Et tu m'aides ! Car tout ce que tu me dis sur le club et les chevaux m'est utile. Je t'en prie, continue, mais...
– Mais ?
– Quand tu poses une question, peux-tu t'arrêter une minute, le temps que je réponde ?
– Ça marche ! répondit Lisa en riant à son tour.
Elle montra à la nouvelle venue où était rangé le harnachement de Comanche. Elle saisit la bride, Alice prit la selle, puis toutes deux se dirigèrent vers le box du cheval.
Au fur et à mesure de la conversation, Alice semblait perdre sa timidité. Elle apprit à Lisa qu'elle montait à cheval depuis longtemps, qu'elle vivait dans l'Ohio et passait ses vacances d'hiver chez sa grand-mère, à Willow Creek.
– Pour te dire la vérité, je préférerais être à la maison, avoua Alice. Mais ces derniers temps c'était devenu un vrai cauchemar. Mes parents n'arrêtent pas de se disputer, je crois qu'ils

vont divorcer. C'est vraiment horrible…
Lisa était bouleversée. Elle se dit que le divorce de ses parents était la chose la plus terrible qui pouvait lui arriver. Elle sentit son estomac se nouer. Elle devait sûrement pouvoir faire quelque chose pour sa nouvelle amie !
– Je ne veux pas t'ennuyer avec ces histoires ! ajouta Alice en voyant son air songeur.
– Tu ne m'ennuies pas du tout ! Mais nous ferions mieux de nous remettre au travail. Il faut se dépêcher de seller Comanche. Peux-tu le distraire pour éviter qu'il ne gonfle ses poumons au moment où je le sanglerai ? Il essaie toujours de m'avoir et, si je ne fais pas attention, la sangle se défait !
Alice éclata de rire :
– Les chevaux que je monte font pareil. À nous deux, on pourra peut-être détourner son attention !
Elle entreprit de caresser Comanche et de lui parler d'une voix apaisante. Tout en glissant la sangle, Lisa guettait la respiration de l'animal. Mais ce dernier se délectait tant des attentions

d'Alice qu'il ne prit pas garde à la cavalière qui, sous le quartier de la selle, serrait la boucle.
– Bravo ! s'exclama Lisa.
Les filles se tapèrent dans les mains. Puis, une fois Comanche harnaché, elles le sortirent de l'écurie.
Lisa avait toujours aimé présenter le Pin creux. Les anciens cavaliers avaient pour mission d'aider les nouveaux venus, mais tous devaient participer aux différentes tâches : c'étaient les deux règles incontournables du club.
– Et voilà Barcq, le cheval que je monte aujourd'hui, annonça Lisa.
Elle ouvrit la porte du box et attrapa les rênes. Barcq était bai, et une ligne blanche courait sur son front.
– Barcq a du sang arabe, et son nom arabe signifie « éclair ». Il est racé, tu ne trouves pas ? demanda Lisa.
– Oh oui ! Il est splendide.
Lisa observa sa nouvelle amie qui frottait doucement les naseaux de Barcq. Décidément,

cette fille en savait long sur les chevaux !
– Est-ce que tu fais la reprise de saut d'obstacles ? demanda-t-elle à Alice.
– Non.
– Dommage ! C'est juste après la reprise de dressage. Max nous fait réviser la technique du saut pendant un quart d'heure.
– Non, c'est impossible.
Ce « non » déterminé surprit Lisa. Alice craignait-elle que son niveau soit inférieur à celui des autres cavaliers ? Elle décida de la mettre à l'aise :
– Ce qui est sympa dans la reprise d'aujourd'hui, c'est que Max s'en charge personnellement. Et puis, quel que soit le niveau du cavalier, on assiste tous au cours, c'est une des habitudes du Pin creux. Carole, qui est excellente cavalière, suit la même reprise que moi. Tu te débrouilleras très bien, tu verras.
– Non, merci, dit Alice.
Lisa eut la désagréable impression qu'on venait de lui claquer une porte au nez. Pourtant, elle était sûre qu'Alice adorerait la reprise de Max. Les cavaliers s'y amusaient

tant qu'ils avaient rarement conscience de l'effort qu'ils fournissaient. Et le saut d'obstacles était si distrayant qu'il permettrait à Alice de se changer les idées.
À peine le cours avait-il commencé que Lisa sut qu'elle ne s'était pas trompée : Alice était douée, et elle savait tenir un cheval ! Comanche avait une allure parfaite ; il avait compris qui commandait, cela ne faisait pas de doute.
Max leur fit travailler l'équilibre. Ce n'était pas facile. Les élèves avaient ôté leurs pieds des étriers et, chacun son tour, ils devaient lâcher les rênes, croiser les bras et diriger leur monture à l'aide des jambes. Lisa se concentrait pour améliorer sa technique.
La reprise terminée, Max annonça une pause de cinq minutes avant le saut d'obstacles.
Lisa vit qu'Alice s'apprêtait à partir. Elle talonna légèrement Barcq et se dirigea au petit trot vers la cavalière :
– Tu es sûre que tu ne veux pas rester ?
– Non, je dois partir.
– Certains cavaliers ont un très bon niveau,

mais d'autres sont débutants, comme dans la reprise de dressage. On travaille tous ensemble, insista Lisa
– Je ne saute pas, répondit Alice.
– Est-ce que tu viendras à la reprise samedi prochain ?
– Bien sûr, dit Alice. J'ai déjà prévenu ma grand-mère ; elle me conduira.
– Alors, à samedi. Et je suis contente de t'avoir rencontrée !
– Moi aussi ! Merci pour ton aide !
Alice descendit de cheval et mena Comanche à son box. Tout en la regardant s'éloigner, Lisa décida de faire appel au Club du Grand Galop pour débattre du cas d'Alice.
– Tu es avec nous ? demanda Max sur un ton sarcastique, sortant Lisa de ses pensées.
Elle jeta un coup d'œil sur sa montre. Cela faisait exactement cinq minutes et trois secondes que la pause avait été annoncée. Cet homme avait une horloge dans la tête !

– Alice a l'air adorable, mais un peu timide, dit Steph tandis qu'elles entraient chez Sweetie.

– Elle suppose que ses parents vont divorcer, tout au moins se séparer, dit Lisa. Elle est en vacances chez sa grand-mère.
– En tout cas, c'est une excellente cavalière, ajouta Carole. Et monter à cheval est le meilleur moyen de se changer les idées.
Carole savait de quoi elle parlait. Elle avait perdu sa mère quelques années plus tôt, et l'équitation lui avait apporté un précieux réconfort.
Lisa raconta à ses amies combien le saut d'obstacles semblait effrayer Alice.
– Mais c'est insensé ! s'exclama Steph. Alice monte très bien. Elle peut sauter sans aucun problème !
– Quelque chose l'en empêche, dit Lisa, songeuse. Et j'aimerais savoir de quoi il s'agit.
– Mais ce n'est pas ici que nous le découvrirons ! Nous devons d'abord nous pencher sur la sérieuse question de nos glaces ! lança Carole en attrapant la carte.
– Avec qui vas-tu passer tes vacances en Floride ? lui demanda Lisa.

– Avec Joanna, la sœur de mon père. Il y aura aussi mon oncle William, et une de mes cousines, Sheila. Elle a seize ans.
– Elle monte à cheval, c'est bien ça? demanda Steph, qui faisait preuve d'une excellente mémoire dès qu'il était question de chevaux.
– Elle a un poney depuis des années, expliqua Carole. Elle le monte tous les jours. Elle est aussi dingue de chevaux que nous, et ça nous rapproche. Elle aussi, plus tard, veut consacrer sa vie aux chevaux. Mais la différence, c'est qu'elle sait exactement ce qu'elle veut faire : du dressage.
Carole, elle, n'arrivait pas à décider si elle serait entraîneur, éleveur, vétérinaire ou propriétaire d'un haras, ou encore si elle s'occuperait de dressage ou de démonstrations... Pour l'instant, elle voulait tout la fois.
– Alors tu vas pouvoir monter à cheval, toi aussi ! s'exclama Lisa.
– Tu sais, quand on est invité chez des gens, on fait ce qu'ils ont envie de faire, répondit Carole. Et je ne suis pas sûre que Sheila aura

envie de monter à cheval pendant que je serai là ! Et puis elle n'a qu'un cheval, et c'est un poney. Un petit poney, et ma cousine est grande ! ajouta-t-elle.
– Elle n'est pas trop lourde pour lui ? demanda Lisa.
– Oh non ! Le poney est solide, et Sheila n'est tout de même pas immense. Elle a simplement la taille d'une fille de seize ans. Mais pour gagner en compétition, il lui faudrait un cheval plus grand.
– Est-ce qu'elle veut gagner ? demanda Steph.
– Je ne sais pas, répondit Carole. Elle aime tellement son poney qu'elle ne fait aucun effort, simplement pour le ménager !
– C'est complètement dingue ! s'exclama Steph. Mais toi, Carole, tu peux lui conseiller d'acheter un nouveau cheval !
La vendeuse les interrompit pour prendre leur commande :
– Êtes-vous prêtes, mesdemoiselles ?
– Vanille et yaourt glacé, annonça Carole.
– Miettes de fondant et glace au chocolat, demanda Lisa.

Tout en notant les commandes, la serveuse ne quittait pas Steph des yeux. Cela faisait partie du jeu ; chacune le savait. Steph parviendrait-elle à les surprendre avec une commande extravagante au point de faire grimacer la serveuse ?

Elle prit une profonde inspiration :

– Une glace pistache-caramel au beurre chaud avec des rondelles d'ananas, et une glace aux cacahuètes à la crème fouettée avec des cerises au marasquin.

La serveuse notait au fur et à mesure, le visage impassible.

– Oh, est-ce que je pourrais aussi avoir de la crème de myrtille gluante ?

La serveuse ouvrit grand la bouche.

Steph avait gagné.

2

– Sais-tu ce que Tante Joanna a prévu comme programme pour les vacances ? demanda Carole à son père.
Leur avion amorçait sa descente vers l'aéroport.
– Telle que je la connais, elle essaiera de me présenter à une dame très respectable, et de préférence célibataire, répondit le colonel Hanson avec un soupir de résignation comique.

– Mais elle essaie de te caser depuis le décès de maman ! Elle ne se découragera donc jamais ? s'exclama Carole.
– Oh ! J'ai bien peur que non !
– Et ça ne t'agace pas ?
– Je ne dirais pas cela... Je suppose que je devrais me sentir flatté, mais le problème, vois-tu, c'est que ses tentatives ont toujours échoué !
– Pourquoi ne lui demandes-tu pas d'arrêter ?
– Je ne veux pas la blesser, expliqua le colonel Hanson. Et puis elle s'amuse tellement !
– Et Mme Dana ? reprit Carole.
Mme Dana était la mère d'une amie de Carole. Son père et elle s'étaient rencontrés plusieurs fois.
– Nous nous verrons à mon retour, répondit le colonel. J'ai des places pour le concert des Beach Boys. Elle adore ce groupe, comme moi !
– Tu sais quoi ? s'exclama Carole. Eh bien, chaque fois que Tante Joanna essaiera de te présenter quelqu'un, je parlerai de Mme Dana. Ça marche ?
– D'accord, répondit son père. Mais ne t'at-

tends pas pour autant à ce qu'elle abandonne la partie !

Quelques heures plus tard, assise dans la cuisine de Joanna, Carole épluchait le chou cru en compagnie de sa cousine, Sheila. Sa tante avait prévu du travail pour chacun ; même le colonel Hanson et Oncle Willie étaient de la partie.
– Où ranges-tu le presse-fruits, Joanna ? demanda le père de Carole. Je ne peux pas faire de sangria sans presse-fruits !
Tante Joanna se mit à fouiller dans les tiroirs :
– Le voilà !
Puis elle ajouta :
– Tu es un merveilleux cuisinier, Mitch ! Plus d'une femme serait heureuse de te…
– C'est exactement ce que lui dit Mme Dana ! l'interrompit Carole.
– … rencontrer, enchaîna Tante Joanna, qui fit mine de ne pas avoir entendu sa nièce. N'oublie pas de faire suffisamment de sangria pour le grand rassemblement de demain. Nous serons nombreux ! Et attention, elle doit être succulente !

Tante Joanna appelait « grands rassemblements » les réunions familiales. Carole connaissait à peine cette partie de la famille qui vivait dans la région, mais elle aimait être parmi eux.

– Pourquoi tant de manières, puisqu'on sera entre nous ? demanda le colonel Hanson.

– Oh, nous avons un ou deux invités..., répondit évasivement Tante Joanna.

– Ah oui ? s'étonna Oncle Willie.

– Tu sais, une de mes amies ne faisait rien ce week-end, alors j'ai pensé que...

– Une amie célibataire, je suppose ? lança Oncle Willie, qui comprit ce que sa femme manigançait.

– Eh bien, oui ! rétorqua Tante Joanna. Et je suis sûre que tout le monde l'adorera !

Carole fit une nouvelle tentative :

– Papa, n'oublie pas que tu as promis d'appeler Mme Dana pour lui dire que nous étions bien arrivés !

Son père sourit :

– Merci, ma chérie ! J'y penserai.

– Quel est le programme des prochains jours ?

demanda Carole en se tournant vers Sheila.
– Demain, grand rassemblement ! commença à réciter sa cousine. Lundi, escapade familiale à Disneyworld. Mardi, balade à cheval et pique-nique pour toutes les deux sur la plage : je t'ai trouvé un cheval. Il y a un endroit magnifique avec du corail, tu verras, c'est sublime !
– Cette plage peut être dangereuse, intervint Oncle Willie. Il y a de très mauvais courants…
– Papa ! s'écria Sheila. Je connais les rouleaux par cœur. Je me débrouillerai très bien.
– Si tu es prise entre deux courants contraires, tu ne pourras jamais revenir vers le rivage, insista son père.
– Ne t'inquiète pas, nous serons très prudentes, je te le promets. Et puis il y a toujours des garde-côtes sur la plage.
– Pourquoi ne montez-vous pas plutôt au club ? suggéra Tante Joanna. Tu pourrais en profiter pour choisir un nouveau cheval, et…
– Maman ! l'interrompit Sheila.
Mais Tante Joanna poursuivit :
– … nous laisser vendre Maverick. Jamais tu

ne pourras gagner en compétition avec ce poney !
– Je me fiche pas mal de gagner ! Tout ce que je veux, c'est monter Maverick, et il n'est pas question qu'on nous sépare !
– Carole, pourrais-tu faire entendre raison à cette demoiselle ? demanda Tante Joanna. Explique-lui donc que pour devenir une cavalière professionnelle, il faut qu'elle monte un cheval.
– Maverick et moi travaillons très bien, s'entêta Sheila.
– Peut-être, mais combien de flots avez-vous gagnés ?
De toute évidence, cette querelle entre Sheila et sa mère n'était pas la première.
– Qui veut goûter ma sangria ? les interrompit le colonel Hanson.
Quatre mains se levèrent. La sangria devint le centre de la conversation, et chacun y alla de son grain de sel, et de poivre !

3

Steph regardait Diablo avec attention.
– Carole lui manque déjà, remarqua-t-elle.
– Tu crois ? Elle était encore là hier, fit Lisa.
– Oui, mais aujourd'hui elle n'est plus là.
– Eh bien, quand Carole rentrera, Diablo sera fou de joie. Plus que cinq jours à attendre, pendant lesquels nous prendrons bien soin de lui.
Steph acquiesça et donna une petite tape sur l'encolure de l'animal.
Les filles étaient ravies de s'occuper de

Diablo. Nettoyer son box et le nourrir n'était absolument pas contraignant. Et en plus, c'était les vacances.
Dans l'écurie, Steph attrapa une brassée d'avoine et remplit un seau de grains. Les naseaux de Diablo frémirent quand elle lui apporta son repas.
– On dirait que nous avons là un hôte satisfait, commenta Lisa.
– Salut !
Lisa se retourna : derrière elle se tenait Alice.
– C'est le cheval de votre amie, non ? demanda-t-elle.
– Oui, c'est Diablo. Carole est partie en vacances, et nous faisons du baby-sitting ! répondit Steph.
– Il en a, de la chance ! remarqua Alice.
– C'est Carole qui a de la chance d'avoir un cheval pareil, rectifia Lisa. Il est formidable, et ils s'entendent à merveille !
– Tu n'aimerais pas le monter ? demanda soudain Steph.
Alice sembla surprise :
– Moi ?

– Oui, toi ! Carole ne rentre pas avant vendredi, et Diablo a besoin de faire de l'exercice. Je ne peux pas le monter parce que je suis en plein travail avec Flamme, et Lisa, elle, doit s'entraîner avec Barcq…

Steph semblait emballée :

– Ce serait drôlement gentil de ta part si tu voulais bien t'occuper de Diablo. Il est un peu trop indépendant pour un débutant, mais ce n'est pas ton cas. Et Carole serait ravie !

– Max aussi, j'en suis certaine, renchérit Lisa.

C'était sa façon de rappeler à Steph qu'il leur fallait l'accord de Max.

– Et moi donc ! s'exclama Alice. C'est d'accord. Je m'occupe de le seller.

– Bon, je vais voir Max, conclut Lisa.

– Et moi, je me dépêche de préparer Flamme sinon je serai en retard !

Quelques minutes plus tard, les trois filles se retrouvèrent sous le fer à cheval, à l'entrée du manège.

– Je t'ai observée à la reprise, Alice, dit Max, et tu es en effet bonne cavalière. Mais sois prudente, Diablo a plus d'un tour dans son sac !

– Je ferai attention, promit Alice. D'ailleurs, je fais toujours attention !
– Elle sera parfaite ! assura Steph. Elle pourrait même faire la promenade qu'on a prévue avec Lisa, cette après-midi.
Max réprima un sourire. Sacrée Steph !
– On verra ça après la reprise, dit-il.
Pour Steph, c'était tout vu :
– Merci, Max !
Mais Alice secoua la tête :
– Je ne peux pas ! Je dois faire des courses avec ma grand-mère cette après-midi.
– Et demain ? lui demanda Steph.
– Ce serait formidable ! s'exclama Alice.
– Et bien, on verra ça demain, reprit Max en jetant un œil sur sa montre.
La reprise allait commencer.
Ce matin-là, c'était Bob O'Malley qui assurait le cours de dressage. Les cavaliers, les pieds hors des étriers, travaillaient leur assiette. Si Lisa était un modèle de concentration, Steph était terriblement distraite. Elle ne pouvait s'empêcher d'observer Lisa, complètement absorbée par le cours, et d'épier Alice. Cette

dernière guidait Diablo avec beaucoup d'aisance. Son cheval travaillait aussi bien avec elle qu'avec Carole. Steph n'avait plus aucun doute : Alice était excellente cavalière.
Steph remarqua que Max, posté à l'entrée du manège, ne quittait pas Diablo des yeux. Un sourire flottait sur son visage. Steph se rengorgea : elle savait à présent qu'il autoriserait Alice à faire la promenade du lendemain. Voilà qui venait confirmer une des règles incontournables du Club du Grand Galop : on s'amusait bien plus à trois qu'à deux ! Steph jubilait.
Toute à ses pensées, elle n'entendit pas Bob demander aux cavaliers de s'aligner au centre du manège. Soudain, elle se rendit compte qu'elle était seule à tourner, les pieds hors des étriers. Elle regarda autour d'elle et vit les huit autres cavaliers l'observer en riant. L'air penaud, elle se dépêcha de mener Flamme au bout du rang.
– Je vous propose un autre exercice, dit Bob.
Il avait empilé des cônes orange, semblables à ceux que l'on voit sur les routes en travaux.

– Je vais vous préparer un parcours. Vous devrez changer de main en gardant la même allure, d'abord au pas, puis au trot. N'oubliez pas que chaque fois que vous changez de main, vous dirigez votre monture avec votre corps.
Il entreprit de disposer les cônes. « Si on était à skis, Bob aurait parlé d'un slalom », se dit Steph. À cet instant, elle le vit prendre les cavaletti. L'exercice promettait d'être amusant !
– C'est parti ! annonça Bob. Chacun son tour. Lisa, à toi !
Lisa détailla attentivement le parcours. Il fallait slalomer entre les huit cônes, puis sauter une à une les trois barres. Elle ferma les yeux et se répéta mentalement le trajet à effectuer. La partie la plus délicate consistait à définir combien de foulées il fallait entre chaque cavaletti. « Trois », jaugea Lisa d'un dernier coup d'œil.
Elle salua, davantage pour s'assurer qu'elle était prête que pour annoncer son départ, et s'élança. Elle manœuvra habilement entre les

cônes, très attentive à bien diriger son cheval en répartissant son poids sur la selle de façon égale.

Vinrent ensuite les trois petits sauts, semblables à de larges foulées, que Barcq effectua sans difficulté.

– Bien ! dit Bob. Au suivant !

Alice s'avança. Diablo et elle se faufilèrent avec souplesse entre les cônes, accomplissant l'exercice le plus naturellement du monde. Mais soudain, à l'approche des barres, Alice se pencha sur le côté et ralentit considérablement l'allure de Diablo. Le premier cavaletti fut franchi lentement. Puis elle s'arrêta, avisa l'obstacle suivant, et recommença de la même manière.

– Bien…, dit Bob quand elle eut fini, mais il paraissait surpris.

Puis ce fut au tour de Steph, qui fit le parcours sans incident.

– Et maintenant, la même chose, mais cette fois au trot, annonça Bob.

Lisa s'élança. Le trot ajoutait à la difficulté de l'exercice, mais Barcq semblait avoir compris l'enjeu. Lisa put se concentrer sur son assiette tout en le guidant du bout des doigts.

– Très bien, Lisa, la félicita Bob. Au suivant ! dit-il en se tournant vers Alice.

Alice prit le trot et contourna les cônes sans le moindre effort. Mais, face aux cavaletti, Alice mit Diablo au pas et franchit les barres une à une, en s'arrêtant à chaque fois.

C'était curieux. Pour Steph et Lisa, une telle attitude était incompréhensible. Bob, visiblement, partageait leur étonnement.

– Très bien, Alice, dit-il, mais on dirait que les barres te posent problème.

– Je les ai franchies, répondit-elle, sur la défensive.

– C'est vrai, reprit Bob, mais pourquoi changes-tu d'allure ?

– Parce que je ne saute pas.

– Comment ça ?

– Parce que je ne saute pas, répéta fermement Alice.

– Bon, répondit Bob. Au suivant !

Quelque chose clochait. Les barres installées à trente centimètres à peine au-dessus du sol ne formaient pas un vrai obstacle, et il était inimaginable qu'une cavalière aussi expérimentée qu'Alice ne les saute pas.

– Elle ne sait pas ce qu'elle rate ! chuchota Steph.

– Elle n'a pas voulu venir à la reprise de saut mardi, lui répondit Lisa, et…

– Au suivant ! annonça Bob.

– Il faut faire quelque chose ! souffla Steph.

– Oui, mais quoi ?

– J'ai une idée ! murmura Steph.

En effet, Lisa entendait presque le cerveau de Steph tourner à plein régime. À en juger par son air concentré, les idées se cognaient et se bousculaient dans sa tête. Steph mijotait un de ses plans.

4

– Je crois que j'ai une idée, annonça Steph quand elle et Lisa furent de nouveau seules.

Lisa grimaça :

– Je l'avais deviné !

– Je te la dirai tout à l'heure ! souffla Steph d'un air mystérieux.

– Quand ?

– Pendant la promenade !

Les deux amies prirent leurs sandwiches dans le frigo que Max avait mis à la disposition des

élèves et dans lequel il rangeait des boissons fraîches pour les cavaliers. Elles glissèrent chacune un jus de fruit dans leur sac à dos, puis sortirent leurs chevaux. Quelques minutes plus tard, elles gagnèrent le sous-bois.
Lisa adorait monter en plein air. Certes, leur reprise avait eu lieu dans le manège extérieur, mais cela n'avait rien à voir avec le plaisir de galoper en forêt. Voir défiler les arbres la remplissait de joie. Elle prit une profonde inspiration et s'assit confortablement sur la selle.
– C'est génial ! s'exclama Steph.
À un kilomètre du Pin creux, le chemin traversait une prairie, puis se divisait en une dizaine de petits sentiers qui se perdaient dans le sous-bois.
Steph prit la tête. Elle se lança au trot dans le sentier longeant le ruisseau qui avait donné son nom à la ville de Willow Creek. Lisa était ravie de suivre ses méandres, qui lui permirent de répéter les mouvements appris en cours.
– Bob serait content de me voir travailler ainsi ! s'exclama-t-elle.

– Son exercice d'équilibre est tout de suite mis en pratique ! renchérit Steph.
Max faisait débroussailler régulièrement les sentiers du Pin creux. Mais il ne pouvait empêcher la nature d'en faire à sa guise. Aussi Steph aperçut-elle soudain un tronc d'arbre au beau milieu du chemin. D'un geste de la main elle le montra à Lisa. Flamme se lança de bon cœur au petit galop et franchit allégrement l'obstacle. Steph se rassit doucement sur la selle. Puis elle ralentit son allure et se tourna vers son amie. À son tour, Lisa sauta.
– C'est formidable ! s'exclama-t-elle. À croire que Bob a placé exprès ce tronc au milieu du chemin pour nous faire répéter l'exercice !
Lisa amena Barcq à la hauteur de Flamme, et les cavalières mirent leurs chevaux au pas pour leur permettre de souffler.
– Je me demande ce qui arrive à Alice, dit Lisa, songeuse. Peut-être qu'elle a déjà essayé de sauter et qu'elle en garde un mauvais souvenir ? Ou bien elle est morte de peur à l'idée de sauter. Parfois on a peur, on ne sait pas pourquoi…

– Comme ma peur des contrôles ? demanda Steph.
– Pas exactement ! Ta peur des contrôles n'est pas sans raison. Quand on ne fait pas bien son travail à la maison, ou quand on n'écoute pas vraiment en classe, bien sûr, on…
– Oh, s'il te plaît ! Pitié, épargne-moi, je suis en vacances ! l'interrompit Steph en riant.
– D'accord ! Mais pour revenir à Alice, ce n'est pas cette peur-là qu'elle ressent. Elle est convaincue qu'elle ne peut pas sauter. Ça a peut-être quelque chose à voir avec sa situation familiale. Elle a peur que ses parents ne divorcent, et du coup elle a peur de sauter…
Steph réfléchit quelques minutes.
– C'est possible, dit-elle. C'est comme moi, quand je suis en colère contre un de mes frères. Soudain, je leur en veux à tous les trois ! Alors, si mes parents passaient leur temps à se disputer et s'ils parlaient de divorce, je serais terrifiée.
Elles descendirent de cheval, glissèrent les rênes sur les selles et, à l'aide d'une longe, attachèrent leurs montures à un arbre. Les chevaux pouvaient ainsi boire dans le ruisseau.

Puis elles s'installèrent sur le rocher et déballèrent le contenu de leur sac à dos.
– Voici mon idée, commença alors Steph.
– Emmener Alice ici demain, devina Lisa.
– Oui ! Cet endroit est si beau ! Je suis sûre qu'il plairait à Alice. Et je crois aussi que nous devrions prendre le même sentier.
– Tu veux qu'Alice saute ce tronc ! s'exclama Lisa.
– Oui. Je serai devant, elle ne le verra pas. Diablo est le meilleur sauteur du Pin creux, il ne va pas hésiter.
– Et moi, je serai derrière, poursuivit Lisa. Donc, si jamais il se passe quelque chose, je serai là. Alice monte si bien que je suis sûre qu'elle volera au-dessus de l'obstacle sans s'en rendre compte ! Je voudrais tellement qu'elle découvre le plaisir de sauter ! Nous allons lui ouvrir un nouveau monde ! Elle va surmonter ses peurs…
– Pas celles qui concernent ses parents, l'interrompit Steph.
– Mais elle regardera peut-être le divorce autrement, reprit Lisa.

– Et cela lui permettra de se changer les idées !
– Et quand elle quittera le Pin creux, elle sautera à la perfection ! se prit à rêver Lisa. Au travail !
– Quel travail ? demanda Steph.
– Repérer où se trouve exactement le tronc d'arbre, et élaborer un plan pour qu'Alice ne le voie qu'au dernier moment.
Steph acquiesça. Elles finirent leurs sandwiches et préparèrent l'expédition du lendemain. Elles étaient si contentes de leur après-midi qu'elles en oublièrent l'heure. Et c'est un Max mécontent qui les accueillit aux écuries.
– Mais nous t'avons rendu service ! l'assura Steph en guise d'excuses. Un arbre est tombé sur le sentier qui longe le ruisseau, et nous ne pouvions pas le laisser là !
– Oh, je vous remercie, se radoucit Max. Un cavalier m'avait signalé ce tronc, et j'avais l'intention de le dégager demain matin.
– Ce n'est plus la peine, s'empressa d'ajouter Steph. Nous l'avons déplacé, et comme

demain nous retournons nous promener, nous vérifierons si tout est en ordre.
Ce que disait Steph n'était pas complètement faux. Lisa et elle avaient en effet déplacé le tronc avant de le camoufler avec des branches et des feuilles mortes.
– C'est très gentil à vous ! dit Max. Mais il suffisait de m'avertir, et je m'en serais occupé moi-même. Merci quand même !
Ses remerciements embarrassèrent quelque peu les deux amies, qui se promirent néanmoins de rendre un double service à Max le lendemain : d'abord, elles dégageraient le tronc du sentier, et ensuite, elles lui ramèneraient une nouvelle cavalière à la reprise de saut d'obstacles. Et pas n'importe quelle cavalière !

5

– Carole ! Quel plaisir de te revoir !

Carole dévisagea son interlocutrice, qui lui était parfaitement inconnue, malgré le fait qu'elle était un membre de sa famille.

Elle l'embrassa quand même.

– Mais qu'est-ce que tu as grandi ! s'exclama un homme.

« Le cousin Fred, sûrement », se dit Carole.

– Le portrait tout craché de Mitch ! entendit-elle encore.

– Oh, je ne crois pas. Il me semble qu'elle a les yeux de Grand-Père William. Et le nez, c'est le même que celui de ton frère !
Toutes ces remarques étourdissaient Carole. Elle avait la désagréable impression d'être faite de pièces détachées.
– Carole, je te présente ton cousin germain, Jack.
Carole serra la main du jeune homme sans savoir comment elle avait hérité d'un nouveau cousin germain.
– C'est le fils d'Héloïse, ajouta Tante Joanna, comme si cette seule explication pouvait suffire à l'éclairer.
Carole n'osa pas lui demander qui était Héloïse. Des trente personnes présentes, elle n'en connaissait que deux ou trois. Elle se promit de demander à son père de lui dresser l'arbre généalogique de la famille l'après-midi même, de façon à faire le lien entre elle et tous ces gens.
Sheila l'entraîna dans la cuisine, où de nombreux convives s'activaient déjà, et les deux cousines s'emparèrent de la grande marmite

de chou cru pour la porter dans la salle à manger. Pendant qu'elles la tenaient penchée, un invité se précipita avec les bols, un second se mit à les remplir et un troisième à les servir.
– Savez-vous où naissent les enfants Hanson ? plaisanta Carole. Dans les choux !
– Eh ! Je vous l'avais dit ! Le portrait craché de son père, s'exclama un cousin à l'autre bout de la cuisine. Elle a le même sens de l'humour !
Décidément, la famille avait décidé de s'accaparer Carole. Même son sens de l'humour ne lui appartenait pas ! Elle prit une assiette de crudités et trouva une place où s'asseoir. À peine avait-elle eu le temps de picorer quelques bouquets de brocoli, son légume préféré, que Tante Joanna s'approchait déjà d'elle en compagnie d'une femme de son âge :
– Carole, je te présente Midge Ford.
Sur ces mots, Tante Joanna disparut, laissant sa nièce seule avec la nouvelle invitée.
Carole s'empressa de la saluer :
– Qui êtes-vous par rapport à moi ? lui demanda-t-elle poliment, se préparant coura-

geusement à entendre l'histoire de la seconde femme du premier cousin par alliance d'Oncle Fritz.

– Personne ! répondit Midge. Je crois bien être la seule invitée qui ne fasse pas partie de la famille. Joanna m'a proposé de me joindre à une fête qu'elle organisait, mais j'ignorais qu'il s'agissait d'une réunion familiale. À vrai dire, je ne me sens pas très à l'aise. Je ne connais personne, excepté Joanna et maintenant vous, Carole.

– Vous pouvez me tutoyer, s'il vous plaît ! dit cette dernière. Vous savez, moi non plus je ne connais personne ! Vous n'avez qu'à dire que vous êtes la seconde fille de la troisième femme d'Oncle Albert, et tout le monde sera content, ajouta-t-elle en désignant la foule d'invités.

– Parce que personne n'est censé connaître la seconde fille de la troisième..., commença Midge.

Carole vint à son secours :

– ... femme d'Oncle Albert. Ou bien, la cousine par alliance de la première femme de...

Midge éclata d'un rire clair et joyeux :
– Finalement, le mieux, ce sera que je me fasse la plus petite possible et que je me rende utile ! Que pourrais-je bien faire ?
Carole regarda autour d'elles. La cuisine était bondée, et les tables étaient chargées des mets les plus divers.
Elle allait inviter Midge à grignoter avec elle quand elle vit son père approcher.
– Ça va, ma grande ? demanda-t-il.
Puis il se tourna vers Midge, et pendant quelques secondes sembla s'interroger sur leur parenté. Carole décida de lui venir en aide.
– Je te présente Midge Ford, seconde fille de la troisième femme de l'oncle…
– Oh ! Midge Ford, s'exclama le colonel. L'amie que Joanna veut absolument me faire rencontrer, c'est bien ça ?
– C'est tout à fait ça, répondit Midge en souriant. Et vous êtes Mitch Hanson, le frère dont Joanna ne cesse de me vanter les…
– Enchanté, l'interrompit le colonel Hanson en lui tendant la main. Je vois que vous avez déjà fait la connaissance de ma fille, Carole.

– Oui, et je reconnais que nous nous amusons bien !
– Venez que je vous présente quelques membres de cette grande famille. Avez-vous au moins goûté la sangria ?
– Non, mais l'idée me tente, répondit Midge en le suivant.
De nouveau seule, Carole aperçut soudain sa cousine Sheila parmi des jeunes de son âge. Elle rejoignit le groupe au moment où un cousin demandait comment on distinguait les selles de western et les selles européennes.
– Tu veux parler des selles anglaises, le reprit Sheila. En fait, la selle de western est d'origine américaine, c'est une selle de randonnée, avec un pommeau élevé et de larges étriers. Elle est plutôt lourde. La selle anglaise est plus légère, elle sert pour les compétitions et le dressage. À l'origine, elle était utilisée par la cavalerie.
– Et les chevaux qui portent ces selles sont différents aussi ? demanda quelqu'un d'autre.
– Oui et non, répondit Sheila.
Elle hésita, puis se lança dans une longue

explication. Carole sourit : elle-même n'aurait pas répondu autrement !
– Disons qu'il y a des chevaux de randonnée, des trotteurs, des chevaux de compétition, comme les anglo-arabes, conclut-elle.
– Les anglo-arabes sont bien connus pour leur beauté et leur endurance, ajouta Carole, que le sujet passionnait. Quant aux arabes, ils sont appréciés pour leur capacité de chevaucher longtemps dans le désert sans boire.
– Cela dit, ils peuvent aussi se déshydrater, comme nous, continua Sheila.
Elles discutèrent encore un moment avant de se rendre compte que la troupe de cousins avait reflué vers les jeux vidéo.
– Oh, et puis zut ! s'exclama Sheila.
– Ne t'en fais pas, la consola Carole. Ça m'arrive tout le temps ! Seules mes amies supportent que je leur parle de chevaux des heures durant !
Et Carole se mit à raconter à Sheila comment elle entraînait Diablo, et combien il aimait travailler, malgré son entêtement.
– Lors de la dernière compétition, il a été

génial. Nous nous sommes classés en seconde position.
– Bravo ! Mes parents rêvent que je sois dans les premiers, moi aussi !
Elles abordaient là un sujet délicat.
– Maverick et moi, nous formons une seule personne, poursuivit Sheila. Je le monte depuis si longtemps que je suis incapable de m'en séparer. Monter de temps en temps un autre cheval, pourquoi pas ? Mais vendre Maverick, non, je ne m'en remettrais jamais...
– Votre attention, s'il vous plaît ! les interrompit la voix d'Oncle Willie. Je vous invite à jouer au base-ball. Nous allons former deux équipes, je serai le capitaine de la première, et Mitch de la seconde. J'appelle dans mon équipe Joanna !
S'ensuivit une partie mouvementée, qui se termina en fou rire général. Ensuite, chacun eut droit à un rafraîchissement bien mérité. Plus tard, à la tombée de la nuit, tandis que le crépuscule tombait, toute la famille se réunit pour chanter. Carole découvrit avec stupéfaction que tout le monde connaissait les chanson-

nettes que son père lui avaient apprises quand elle était petite, y compris celle de la grenouille qui saute de nénuphar en nénuphar sans qu'il se passe rien d'autre. Carole l'adorait, et là, chantée par une trentaine de personnes, elle lui sembla encore plus drôle et plus belle. Carole comprit que ces airs datant de leurs ancêtres communs existaient toujours grâce aux grands rassemblements de Tante Joanna. Et chacun des participants transmettrait à son tour aux générations futures ces mêmes mélodies. Carole était émue ; elle découvrait combien elle aimait sa famille.

Lorsque le chœur fut dispersé et la dernière cuillère en plastique jetée, les uns et les autres firent leurs adieux à Tante Joanna.

Midge Ford et Mitch Hanson semblaient ne plus vouloir se quitter. Carole se sentit embarrassée. Elle adorait son père et désirait qu'il soit heureux ; mais elle n'imaginait pas ce qu'elle ressentirait si un jour son père se remariait. Fréquenter, c'était une chose, vivre ensemble, une autre.

– J'aime beaucoup ta famille, lui dit Midge.

– Moi aussi ! s'exclama Carole.
– Et j'espère que nous aurons l'occasion de nous revoir ! ajouta Midge.
– Je l'espère aussi !
Quand le dernier invité fut parti, Carole et son père aidèrent Oncle Willie à fermer fenêtres et volets ; puis Carole monta se coucher. Elle se glissa dans son lit et s'endormit aussitôt. Elle rêva d'un jardin potager dans lequel étaient alignés des choux. Sur la petite étiquette de la rangée, elle lut : Hanson. Elle rêva aussi de la seconde fille de la troisième femme d'Oncle Albert. Et aussi d'une certaine Midge Ford…

6

Steph et Lisa étaient si excitées par la surprise qu'elles avaient préparée à Alice qu'à plusieurs reprises elles faillirent la lui révéler. Mais jusqu'à la dernière minute, elles parvinrent à garder le secret.
– Tu vas adorer la forêt ! lui dit Steph. Les sentiers sont toujours pleins de mystères !
– On peut s'y perdre ? demanda Alice, un peu inquiète.
– Oh non ! la rassura Lisa. Et si cela arrivait,

les chevaux retrouveraient toujours le chemin, comme les pigeons voyageurs !

Steph et Lisa étaient ravies de faire découvrir le domaine du Pin creux à leur nouvelle amie.

– Tu te souviens de notre première promenade ? demanda Steph à Lisa.

Celle-ci acquiesça ; comment aurait-elle pu l'oublier ? Elles s'étaient retrouvées dans un champ avec un taureau, et il leur avait fallu sauter une clôture d'un mètre pour le fuir !

– Et quand nous avons dû galoper comme des folles pour échapper à l'incendie[1] ?

– Un incendie dans la forêt ? s'affola Alice en regardant autour d'elle.

– Ce n'était pas ici, expliqua Lisa. Nous étions en randonnée dans les Rocheuses. Nous avons été obligées de sauter un gros tronc d'arbre avec des selles de randonnée. C'était terrible !

– Mais c'est dangereux ! s'écria Alice. Moi, j'en serais incapable !

Lisa comprit qu'il fallait épargner à Alice ces histoires de sauts. Mais elle espérait secrète-

---

1. Lire *Une randonnée très périlleuse*, n° 618 de la série.

ment que leur amie changerait bientôt d'avis.
– Au trot ! annonça Steph, qui avait pris la tête. Ça marche ? demanda-t-elle en se tournant vers les deux cavalières.
– Non, ça trotte ! répondit Alice. C'est formidable ! Je ne connais pas les sentiers, mais j'espère que je peux vous faire confiance.
– Ne t'inquiète pas ! répondit Steph, qui prenait quelques foulées d'avance. Tout se passera bien !
Lisa retint sa respiration. Le tronc d'arbre n'était plus qu'à une vingtaine de mètres, juste après le tournant à gauche. Steph se mit au galop. Diablo suivit l'allure, bientôt imité par Barcq.
Flamme prit le virage. Lisa tendit l'oreille, mais rien ne révélait qu'il avait sauté. Une fois qu'elle eut franchi le tronc, Steph s'arrêta au bord du sentier. Elle voulait voir la tête d'Alice quand elle sauterait. Lisa, de son côté, talonna légèrement Barcq.
Diablo s'engagea dans le tournant dans un petit galop rapide. Rien dans son comportement ne trahissait qu'il avait vu l'obstacle. Il

maintint son allure et franchit sans le moindre effort apparent le tronc : à croire qu'il avait fait cela toute sa vie !
Steph ne put retenir un cri de victoire :
– Génial ! Tu as vu ça ? dit-elle en rejoignant Alice, qui s'était arrêtée un peu plus loin. Tu as sauté à la perfection. Nous le savions ! Tu sautes comme une professionnelle !
– Tu étais formidable ! s'exclama à son tour Lisa en arrêtant Barcq à leur niveau. C'est bien mieux que les barres en manège, non ?
Le silence d'Alice inquiéta Lisa.
– Ça va ? demanda-t-elle.
– Bien sûr que ça va ! répondit à sa place Steph. Elle saute comme une championne, je te l'avais dit !
– Parce que vous aviez prévu tout ça ? s'écria Alice.
– Oui, nous avions tout prévu, répondit fièrement Steph. Et ça a marché ! Tu as sauté !
– Vous voulez dire que vous avez volontairement posé ce tronc d'arbre après le virage pour que je ne le voie pas ?
– Oui ! Nous avons mis du temps avant de

trouver le bon endroit. Et, finalement, nous avons gagné !

– Gagné quoi ? demanda Alice, un sanglot dans la voix.

Steph comprit enfin que quelque chose n'allait pas.

– Nous voulions te montrer que le saut d'obstacles, c'est génial, et surtout que tu peux sauter ! expliqua-t-elle, sur la défensive.

– Et qui vous a demandé de vous occuper de moi ? Pas Max, j'imagine ?

– Non, répondit Lisa. Max n'est pas au courant. C'était notre idée. Nous pensions qu'elle était bonne.

– Eh bien, vous vous êtes trompées ! lança Alice.

Et, sans un mot, elle tira sur ses rênes et fit demi-tour. Elle maintint Diablo au pas et franchit le tronc très prudemment.

– Alice ! l'appela Lisa.

– Laissez-moi tranquille !

– On voulait simplement t'aider ! cria à son tour Steph.

– Vous voulez vraiment m'aider ? Alors lais-

sez-moi tranquille toutes les deux ! rétorqua Alice.
Et elle disparut derrière le virage.
– Il faut qu'on la suive ! dit Lisa.
– Et pourquoi ? Tu l'as entendue, elle veut qu'on la laisse en paix ! Et puis, on a ce tronc à dégager du chemin, maintenant !
– Et si elle se perdait ? s'inquiéta Lisa.
– Elle ne se perdra pas, Diablo connaît le chemin par cœur.
– Max sera en colère s'il apprend qu'on l'a laissée rentrer seule.
– Et s'il apprend qu'on n'a pas enlevé le tronc du chemin, tu ne crois pas qu'il sera en colère ?
Elles mirent pied à terre et dégagèrent le tronc en silence.
– Je ne comprends pas, dit enfin Lisa en fronçant les sourcils. On essayait juste de lui rendre service. Pourquoi est-elle si furieuse ?
– Elle a été surprise, c'est tout. En fait, elle est surtout en colère contre elle-même, car elle a découvert qu'elle n'avait aucune raison d'avoir peur de sauter ! Je suis sûre qu'en ce

moment elle rit de la farce qu'on lui a faite ! Et elle doit avoir honte d'être rentrée sans nous.
– Tu crois ?
– Oui, et je suis même certaine qu'elle nous attend pour s'excuser, et qu'elle s'est déjà inscrite à la prochaine reprise d'obstacles !
Mais Steph était loin de la vérité. Quand elles arrivèrent au Pin creux, il n'y avait pas trace d'Alice. Diablo se tenait immobile dans son box, encore sellé et bridé.

7

Sans échanger un mot, Lisa et Steph ôtèrent les selles et les bridons de Flamme et de Barcq. Après les avoir bouchonnés, elles remplirent d'eau leur bac et les ravitaillèrent en foin. Puis elles s'occupèrent de Diablo.

Elles venaient de finir quand Mme Reg les interpella.

La mère de Max était une femme chaleureuse et maternelle. Elle aimait initier les jeunes cavaliers aux diverses tâches que nécessitait le soin d'un cheval, et ne manquait jamais de leur raconter quelques-unes de ses célèbres anecdotes de chevaux. Mine de rien, ses histoires permettaient toujours au cavalier qui l'écoutait de réfléchir sur son propre comportement ou d'analyser ses peurs.

Ce jour-là, elle ne les avait pas appelées pour leur raconter une histoire vécue, mais pour leur passer un savon.

– Cet après-midi, j'ai trouvé Diablo harnaché dans son box ! gronda-t-elle. Alice Jackson a débarqué comme une furie, abandonnant Diablo dans l'écurie ! Je ne sais pas ce que vous avez dans la tête, mais c'est inadmissible ! Vous étiez censées vous occuper de cette nouvelle cavalière, non ? Vous auriez donc dû veiller à ce qu'elle soigne le cheval de Carole !

– Mais, Madame Reg..., tenta de se défendre Steph.

– Il n'y a pas de « mais ». Vous n'avez pas respecté les règles, un point c'est tout !

– Mais nous nous sommes occupées de Diablo ! protesta Lisa.

– Ah oui ! Après qu'il est resté à attendre plus d'une demi-heure dans son box !
– Mais nous..., bafouilla Steph.
– Vous êtes inexcusables ! l'interrompit Mme Reg.
Sur ces mots, elle fit volte-face et rentra dans son bureau.
– Ce n'est pas juste ! s'écria Steph.
– Ah oui ? Et comment lui expliquer ce que nous faisions dans la forêt ? répondit Lisa. Max croit que nous avons dégagé le tronc hier. Mieux vaut qu'elle ne sache pas que nous avons menti ! Tu imagines un peu sa colère ?
– Oui, ça, d'accord. Mais nous n'avons pas à nous faire disputer à cause d'Alice. Qu'est-ce qui lui a pris de ne pas s'occuper de Diablo ?
– Je suis sûre qu'elle n'a pas pensé non plus à le détendre après la balade, renchérit Lisa. On devrait peut-être le faire marcher un peu ?
– Non, je ne pense pas, la rassura Steph après avoir observé attentivement Diablo. Il a eu le temps de souffler, et maintenant il se repose...
Lisa ne pouvait s'empêcher de se sentir coupable. N'avaient-elles pas promis à Carole

de prendre soin de son cheval ?
– Alice est une fille ingrate, gronda Steph. Non seulement elle ne nous est même pas reconnaissante de toute la peine qu'on se donne pour elle, mais, en plus, on se fait disputer à cause d'elle !
– Sans parler du fait qu'elle aurait pu blesser Diablo ! ajouta Lisa.
– Pauvre Diablo ! murmura Steph.
Diablo, quant à lui, était davantage absorbé par le foin frais qui garnissait sa mangeoire que par la discussion des deux amies. Steph glissa les bras autour de son encolure et l'embrassa sur les naseaux. Diablo continua de mâchonner tranquillement.
– Tu sais, je dirais bien deux mots à Alice ! dit soudain Steph.
– C'est une bonne idée ! Si elle veut monter au Pin creux, il faut d'abord qu'elle apprenne à s'occuper correctement des chevaux. Et nous ne lui confierons plus Diablo ! Elle n'a qu'à monter un cheval du club.
– Appelons-la ! Max n'est pas là, allons dans son bureau.

– Mais ce téléphone ne doit être utilisé que dans les cas d'extrême urgence, lui rappela Lisa.

Il y avait une cabine téléphonique à l'entrée du club, et Max tenait à ce que les cavaliers du club ne se servent pas du téléphone de son bureau.

– Eh bien justement, c'est un cas d'extrême urgence, non ? répliqua Steph.

Quelques minutes plus tard, elles composaient le numéro d'Alice. Steph bouillait de colère.

– Est-ce que je pourrai parler à Alice, s'il vous plaît ?

La grand-mère d'Alice demanda à Steph de patienter tandis qu'elle appelait sa petite-fille. Steph l'entendit dire à Alice : « Je ne sais pas qui c'est. » Et puis : « Dépêche-toi, s'il te plaît, ma chérie. On ne fait pas attendre les gens comme ça ! »

Il y eut un long silence, suivi d'un petit « allô ? ».

– Alice ? C'est Steph Lake !

Sans laisser à Alice le temps de parler, elle donna libre cours à sa colère. Elle lui reprocha de ne pas s'être occupée de Diablo, l'accusa d'être irresponsable, et lui dit qu'il était injuste qu'elle et Lisa se soient fait disputer par Mme Reg.

– Et dire, conclut Steph, qu'on avait cru que tu étais une bonne cavalière ! Nous nous sommes trompées, parce qu'une bonne cavalière n'aurait jamais traité un cheval comme ça !

Elle se tut. Elle avait dit ce qu'elle avait sur le cœur, et attendait maintenant qu'Alice lui présente ses excuses.

Il y eut un silence.

– La question n'est pas de savoir si je suis une bonne ou une mauvaise cavalière, Steph, répondit enfin Alice, mais si je suis ou non une cavalière. Et je n'en suis pas une. J'arrête l'équitation. Au revoir.

Elle raccrocha.

– Qu'est-ce qu'elle a dit ? demanda Lisa, qui assistait pour la première fois à cet étrange phénomène : Steph était sans voix.

– Elle a dit…, commença Steph.

Lisa ne la quittait pas des yeux.

– Elle a dit qu'elle ne monterait plus jamais à cheval, dit enfin son amie. Et je crois qu'elle le pensait vraiment.

8 

– Je sens quelque chose de bizarre dans mon dos, dit Sheila.
– Bizarre ? demanda Carole. C'est mon coude !
Les filles, Tante Joanna et le colonel Hanson étaient assis à l'arrière du break d'Oncle Willie. Quand Carole essaya de dégager son bras, elle bascula contre Tante Joanna, qui à son tour s'affala sur le colonel. Midge Ford et

l'Oncle Willie, installés à l'avant de la voiture, ne purent s'empêcher de rire aux éclats.

– Que dites-vous de la Tour magique ? lança Carole en ouvrant le guide de Disneyworld, où tout ce petit monde se rendait.

– C'est pour les tout-petits, répondit Sheila, mais c'est très drôle. Nous pouvons toujours y aller, à condition de ne pas nous prendre trop au sérieux !

– En ce qui me concerne, j'irais bien faire un tour dans le train des Rocheuses, dit le colonel. Tu m'accompagneras, ma chérie ?

– Tu rêves ! Ce sont de vraies montagnes russes ! s'exclama Carole.

– C'est exact ! répondit son père. J'adore les montagnes russes, moi !

– Essaie donc la montagne spatiale, lui conseilla Tante Joanna. Et, crois-moi, tu changeras d'avis !

– Tu auras la plus grande peur de ta vie ! renchérit Sheila. J'y suis allée avec ma classe il y a quelques années, et Colin McKenzie...

– Hum, hum, l'interrompit Oncle Willie.

– Oh non, Sheila ! protesta Tante Joanna.

– Colin McKenzie... ? demanda tout bas Carole, qui voulait absolument connaître la suite de l'histoire.

– ... a vomi tout son repas ! souffla Sheila, mais suffisamment fort pour que tout le monde entende.

Le colonel éclata de rire, et son rire était si communicatif qu'il fut bientôt imité par les cinq autres passagers.

À Disneyworld, la petite équipe se divisa en trois groupes. Carole et son père choisirent les Rocheuses, Tante Joanna et Oncle Willie le funiculaire qui allait de la ville du Futur au pays des Fantaisies, et Sheila et Midge la Maison hantée.

Le colonel Hanson et Carole furent vite attirés par le stand de tir à l'entrée des Rocheuses.

– Tu es bon tireur, papa, n'est-ce pas ? demanda Carole.

– Oui, plutôt bon, confirma le colonel.

Il prit le fusil sur le présentoir, le chargea et visa. Carole retint sa respiration.

« Pop ! »

Rien ne se produisit.

– On dirait que tu as raté ton coup, papa ! dit Carole.
– Moi ? Raté ? s'offusqua le colonel.
Il prit dix nouvelles cartouches, prépara son fusil et recommença. À la septième tentative, enfin, une clochette tinta.
– Mouais, pas mal ! dit le jeune homme de l'autre côté du présentoir.
Le colonel épuisa le reste de ses munitions, sans succès.
– Vous, je vous encourage pas à faire carrière dans l'armée ! plaisanta le jeune homme. Pour le tir, y'a quelques progrès à faire !
Le colonel lui jeta un regard courroucé.
Carole attrapa à son tour le fusil et se prépara à tirer. Finalement, ça n'avait pas l'air si difficile que ça ! Elle visa entre les petits deux traits noirs sur la rangée du milieu.
– Bravo ! s'exclama le jeune homme.
Sur les dix tirs, Carole en réussit sept.
– Vous devriez partager vos points avec votre père ! lui dit le jeune homme tandis qu'ils s'éloignaient.
– Tu as fait exprès de rater tes tirs, papa,

n'est-ce pas ? demanda Carole.
– Disons que ce genre de fusil est… comment dire, un peu particulier. Dans l'armée, vois-tu, nous sommes habitués à du matériel très perfectionné, ce sont des techniques de pointe, et…
– Tu veux dire que tu n'as pas fait exprès de rater ? s'étonna Carole.
– Je crois que le train pour les Rocheuses est là, se contenta de répondre le colonel.
Ils grimpèrent dans un petit wagon, et quelques minutes après ils partirent à l'assaut des montagnes russes. Montant, descendant, prenant les virages serrés, s'engouffrant dans les tunnels, le petit train arpentait la montagne artificielle à une vitesse vertigineuse. Carole et son père, agrippés l'un à l'autre, lançaient des « ah ! » et des « oh ! » de frayeur. Mais, une fois descendu du train, aucun des deux ne voulut admettre qu'il avait eu peur. Ils allèrent ensuite à la montagne spatiale, et reprirent trois fois le train.

Au cours du déjeuner, chacun relata ses aventures. Le récit de Carole donna envie à Oncle Willie d'essayer la montagne spatiale, et Sheila proposa de l'accompagner. Le colonel, quant à lui, était tenté par le Pirate des Caraïbes, mais Carole se désista. Elle préférait choisir des cadeaux pour ses amies, Steph et Lisa. Midge l'invita donc à faire les boutiques avec elle, et de nouveaux groupes se formèrent. Seule Tante Joanna semblait mécontente.

– Pourquoi Tante Joanna est-elle de mauvaise humeur ? demanda Carole à Midge, tandis que toutes deux se dirigeaient vers les boutiques.

– Elle a l'impression que je ne joue pas le jeu ! expliqua Midge.

– Comment ça ? l'interrogea Carole.

– Elle voudrait que je ne quitte plus ton père ! Juste avant le déjeuner, elle m'a reproché de ne pas passer plus de temps avec lui !

– On dirait qu'elle s'est mise en tête de vous marier ! remarqua Carole, que sa propre indiscrétion fit aussitôt rougir.

Midge éclata de rire :

– Je sais bien !

– Mais vous n'en avez pas envie ? Vous n'ai-

mez pas mon père ? demanda Carole à brûle-pourpoint.
– J'aime beaucoup ton père, Carole, expliqua Midge. C'est un homme charmant, il est drôle, chaleureux, attentionné. Non, ce n'est pas ton père qui me pose problème.
– C'est quoi, alors ?
Midge acheta des sodas et du pop-corn, et elles s'assirent sur un banc pour poursuivre leur discussion.
– Je suis divorcée depuis peu de temps. J'ai traversé une période difficile, et mon fils aussi. Il nous reste des blessures, et elles ne s'atténueront qu'avec le temps.
– Vous voulez dire que vous n'êtes pas prête à rencontrer quelqu'un ?
Midge hocha la tête :
– Je suis prête à rencontrer des gens, et j'en ai envie. Mais m'engager sérieusement, c'est différent. Je pense que c'est trop tôt.
– Je comprends. Vous aimez passer des moments avec mon père, mais vous ne vous voyez pas vivre avec quelqu'un pour l'instant.
– C'est ça. Et puis le problème, c'est aussi ta

tante, Joanna. C'est une véritable entremetteuse ! Elle croit savoir ce qu'il me faut et ce qu'il faut à ton père. Je ne veux pas la blesser, et en même temps je ne peux pas lui donner raison. Elle veut tout régenter ! Figure-toi qu'elle m'a demandé quelle taille je faisais ! Je la soupçonne de conserver pour moi sa vieille robe de mariée au grenier !

Carole pouffa de rire et s'étrangla avec un grain de pop-corn.

– Tu trouves ça drôle ? demanda Midge.

Carole avala une gorgée de soda :

– Tante Joanna doit avoir une robe de demoiselle d'honneur au grenier, parce qu'elle m'a aussi demandé ma taille !

Midge éclata de rire à son tour :

– Et que lui as-tu répondu ?

– Que je ne portais jamais de robes, seulement des jeans et ma culotte d'équitation. Vous auriez vu sa tête !

Carole réfléchit quelques secondes.

– Si vous et papa expliquiez à Tante Joanna que vous n'avez pas besoin de son aide, je crois qu'elle ne vous écouterait pas...

– C'est ce que je pense aussi. Et nous la blesserions. D'ailleurs, peut-être qu'un jour je tomberai amoureuse d'un homme qu'elle m'aura présenté, et ce pourrait être ton père, qui sait ! Mais pas maintenant. J'ai l'impression que ton père ressent la même chose. Il m'a beaucoup parlé de quelqu'un, Mme Dana, je crois, et j'ai l'impression qu'elle est plus qu'une simple amie pour lui !
– Oui, c'est possible, se contenta de répondre Carole.
Elle ne désirait pas parler de Mme Dana à Midge. Après tout, cela ne regardait que son père. Et elle trouvait qu'une entremetteuse dans la famille suffisait !
– Et notre shopping ? lança Midge en se levant.
Dans l'heure qui suivit, elles visitèrent une quarantaine de boutiques. Carole avait bien l'intention de n'acheter des cadeaux que pour Steph et Lisa, mais il y avait tant d'articles amusants qu'elle ne put résister à l'envie de faire d'autres surprises ! Elle ne s'arrêta que lorsque son porte-monnaie fut vide. Elle écri-

vit une carte à ses amies : « Cet endroit est magique ! Et demain, je vais me promener à cheval au bord de la mer avec Sheila. Vous me manquez, gros bisous, Carole. »
Le reste de la journée se déroula comme elle avait commencé, dans la bonne humeur et la gaieté. Après la célèbre parade, Sheila et Carole se rendirent dans la Tour magique, puis dans le sous-marin, qui les emmena à deux cents mètres sous la mer. Elles étaient complètement épuisées quand commença le feu d'artifice. Mais qui peut s'endormir pendant un feu d'artifice ?
Sur le chemin du retour, aucun des passagers ne se plaignit de coup de coude ou de coup de pied. Tous dormaient à poings fermés, à l'exception d'Oncle Willie, qui ramenait vaillamment sa petite troupe au bercail.

9

Carole se réveilla le lendemain matin avec le vague sentiment qu'un événement extraordinaire l'attendait. Le soleil entrait à flots par la fenêtre. De la cuisine lui provenaient des bruits de vaisselle. Alors elle se souvint : elle allait pique-niquer avec Sheila au bord de la mer !

Elle s'assit sur le lit.

– Allez, debout ! dit-elle à l'intention de sa cousine.

Mais le lit voisin était vide. Carole jeta un œil sur sa montre : 10 heures ! Sheila devait être en bas en train de préparer le pique-nique.
Elle s'habilla et descendit les escaliers quatre à quatre. Elle allait entrer dans la cuisine quand elle perçut une conversation animée. Elle s'arrêta, indécise.
– Encore une fois, Sheila, disait Tante Joanna, il faut que tu te sépares de ce poney. Tu es une excellente cavalière, et il te faut un cheval digne de ce nom !
Visiblement, Sheila et sa mère se disputaient à ce propos tous les jours ! Carole allait entrer et les interrompre quand elle entendit Tante Joanna poursuivre :
– Regarde donc ta cousine Carole ! Elle a un nouveau cheval, un pur-sang, et elle l'entraîne si bien qu'elle a gagné la coupe des Juniors à Briarwood[2] ! Et Carole est plus jeune que toi !
– Carole est une cavalière remarquable, répondit Sheila, et elle passe des heures à s'entraîner avec son cheval.

---

2. Lire *Un défi pour le Club*, n° 622 de la série.

– Tu pourrais en faire autant, rétorqua Tante Joanna.
– Pourquoi pas… mais avec un cheval du club.
Carole ouvrit la porte.
– Bonjour ! lança-t-elle gaiement.
– Oh ! Bonjour, Carole ! répondit Tante Joanna. Justement, nous étions en train de parler de toi. Je racontais à Sheila combien ton père est fier que tu aies gagné cette coupe à Briarwood.
– C'était amusant, répondit Carole. Mais notre pique-nique sera encore plus amusant ! Quel cheval vais-je monter ? demanda-t-elle à sa cousine.
– Un hongre alezan qui s'appelle Brandy, répondit Sheila, et elle se mit à décrire le cheval en détail.
Carole était heureuse qu'elles aient changé de sujet. Mais quand Sheila s'absenta de la cuisine, Tante Joanna revint à la charge :
– Essaie donc de convaincre Sheila de revendre ce poney ! Il ne lui apporte rien ! Sheila est têtue, comme son père !

Carole réprima un sourire. Si quelqu'un était têtu dans cette famille, c'était bien Tante Joanna !

À cet instant, Sheila passa la tête dans l'entrebâillement de la porte :

– Prête ?

– Et comment ! lui répondit Carole.

Une heure plus tard, elle était en selle sur Brandy. Sheila lui expliqua que ce dernier se révélait parfois paresseux, mais il était particulièrement doux et calme.

– Mieux vaut éviter les coups de cravache sur l'encolure, lui dit-elle, car il risque de se cabrer.

Sur ce point, Carole ne se faisait aucun souci. Jamais elle n'aurait cravaché un cheval, que ce soit sur l'encolure ou ailleurs !

Sheila montait Maverick. Les yeux vifs et les oreilles aux aguets, il était prêt à obéir au moindre mouvement de sa cavalière. Ils se connaissaient si bien l'un l'autre qu'on aurait dit une seule et unique personne. Mais, s'il pouvait aisément porter un adulte, le poney était néanmoins petit, et lui et sa cavalière offraient un curieux spectacle.

Carole fit trotter et galoper Brandy dans le manège ; puis, une fois qu'ils eurent fait connaissance, elle fit signe à sa cousine :

– C'est bon, Sheila !

Elles prirent le chemin qui descendait jusqu'à la mer. Les palmiers et le sable doré émerveillaient Carole, habituée aux forêts et aux champs. Les chevaux avancèrent d'abord avec précaution dans le sable fin ; puis, quand celui-ci devint plus ferme au fur et à mesure qu'ils approchaient de l'océan, ils s'enhardirent et passèrent au trot.

– C'est formidable ! s'exclama Carole.

– À qui le dis-tu ! lui répondit sa cousine, rayonnante.

Sur leur droite s'étendait toute une rangée de palmiers qui offraient de l'ombre à la plage. Les feuilles bruissaient légèrement dans le vent. Un peu plus loin, Carole aperçut une digue où étaient amarrés voiliers, navires et péniches. Soudain, une vedette surgit, surfant sur les vagues. Le bruit du moteur alerta

Brandy, mais Carole raccourcit aussitôt les rênes et serra les jambes. Rassuré, son cheval se détendit et reprit son trot tranquille.

– On galope ? proposa Sheila en s'élançant.

– D'accord ! répondit Carole.

Brandy avait reconnu le mot « galop », et il imita Maverick sans que Carole eût besoin de l'y inciter. Comme ses foulées étaient bien plus grandes que celles du poney, il se trouva bientôt à la hauteur de ce dernier. Sa cavalière le retint et l'engagea à reprendre sa place derrière son compagnon.

Carole était tout simplement heureuse de chevaucher comme cela. Les palmiers défilaient à toute vitesse devant ses yeux ; de l'autre côté, elle voyait des nageurs et des surfeurs qui leur faisaient signe. « Comme à une parade ! » pensa-t-elle.

Bientôt, Sheila fit ralentir Maverick et le mit au pas.

– Papa doit nous attendre un peu plus haut, expliqua-t-elle.

Elle se leva sur ses étriers et aperçut son père à l'ombre d'un palmier. Tante Joanna avait tenu à ce que Willie leur apporte le déjeuner. Elle n'avait pas oublié les boissons fraîches, ainsi qu'une crème solaire, les serviettes de bain et les lunettes. Les filles n'auraient jamais pu porter tout cela ! Oncle Willie en profita pour réitérer ses recommandations.

– Je ne vois pas de garde-côte ! remarqua-t-il en scrutant la plage.

– Il est peut-être parti déjeuner, dit Sheila.

– J'espère ! répondit son père. N'allez surtout pas vous baigner juste après avoir mangé, et...

– Ne t'inquiète pas, papa ! le rassura Sheila. Nous serons prudentes, fais-nous confiance !

Et elle l'embrassa affectueusement.

– On se retrouve dans deux heures, d'accord ? On t'attendra avant de repartir, tu pourras remporter le panier, lui dit-elle.

Il faillit leur faire une dernière remarque, mais il se ravisa et se dirigea vers sa voiture.

Sheila et Carole attachèrent les chevaux à un palmier et leur donnèrent de l'eau fraîche dans les seaux qu'Oncle Willie avait apportés. Puis Carole ôta sa tenue d'équitation pendant que Sheila déballait le pique-nique. Tante Joanna avait ajouté quelques-unes de ses spécialités, qui arrachèrent aux filles des exclamations de surprise :

– Des œufs en gelée !

– Des croquettes de poisson !

Elles se jetèrent ensuite sur les cuisses de poulet rôti, la salade de pommes de terre, avant de passer aux jus de fruits, et les biscuits au chocolat qu'elles engloutirent en guise de dessert. Les chevaux participèrent au festin, se régalant de carottes et de pommes.

Elles allaient ranger le pique-nique quand elles découvrirent au fond du sac une boîte de chocolats à la menthe.

– Ta mère pense à tout ! s'exclama Carole.

– Elle peut être têtue, répondit Sheila, mais elle est surtout très généreuse ! C'est une mère formidable !

– Ce sont des traits communs à la famille, non ? remarqua Carole en songeant à son père.

Elles s'assirent sur les serviettes et s'enduisirent de crème solaire, tout en contemplant les bateaux qui ondulaient doucement sur l'océan. Derrière elles, à l'ombre des palmiers, les che-

vaux se reposaient. Plus loin, des pique-niqueurs se lançaient dans la construction d'un château de sable.
Carole enfouit ses pieds dans le sable chaud. Elle songea à ses amies qui, à des milliers de kilomètres de là, passaient leurs vacances engoncées dans des pulls chauds et des blousons d'hiver. Elle tira sa serviette à l'ombre, s'étendit confortablement, se couvrit le visage avec son chapeau et ferma les yeux. Qu'y avait-il de mieux à faire sur une plage de rêve, après une superbe balade à cheval et un délicieux pique-nique ?
Elle n'attendit pas de trouver la réponse, qui s'imposa d'elle-même. Carole s'endormit.

10

– Allez, debout ! À l'eau ! s'exclama Sheila en secouant gentiment sa cousine pour qu'elle se réveille.

Carole regarda sa montre : elle avait dormi presque trois quarts d'heure ! Elles pouvaient à présent se baigner sans danger.

Elle s'assit et regarda autour d'elle. Les chevaux se tenaient tranquillement sous les palmiers. Les pique-niqueurs avaient terminé leur château de sable et s'apprêtaient à partir. Les

deux cousines seraient bientôt seules sur la plage. Carole s'imagina qu'elles étaient au bout du monde, ou sur une île déserte, et qu'elles ne vivaient que d'eau et de chevaux, un peu comme Robinson Crusoé !
– Allez, debout ! insista Sheila en lui tendant la main.
Elles coururent jusqu'au rivage. Des rouleaux de deux mètres de haut venaient s'écraser à leurs pieds en une mousse blanche qui leur chatouillait les orteils. Elles attendirent un peu avant d'entrer dans l'écume bouillonnante.
– L'eau est chaude ! s'exclama Carole.
Les quelques fois où elle s'était baignée dans l'océan, elle avait été accueillie par des lames glacées. Mais en Floride l'océan était tiède et doux comme du velours. Elle fit un pas en avant, puis un autre…
Bientôt, elle se trouva dans l'eau jusqu'à la taille. Les filles progressèrent jusqu'à ne plus avoir pied. Elles étaient à la ligne de crête des rouleaux. Carole regarda vers la plage. Elle percevait la puissance de l'océan derrière elle. C'était impressionnant.

– Ne tourne jamais le dos à l'océan ! lui cria Sheila.

Il était temps ! En jetant un coup d'œil pardessus son épaule, elle aperçut une énorme vague qui roulait vers elle.

– Saute ! cria Sheila.

Carole sauta. Elle s'éleva de toutes ses forces au-dessus de la lame, qui l'entraîna puissamment vers le rivage, avant de s'y briser. La jeune fille eut juste le temps d'aspirer profondément avant que le courant ne la pousse de nouveau vers l'océan à la rencontre du rouleau suivant.

Les émotions des Rocheuses, de la Montagne spatiale et de la Maison hantée réunies ne semblaient rien à côté. Ici, Carole n'avait même pas le temps de souffler entre chaque étape, tant les vagues se succédaient sans discontinuer. Elle aperçut Sheila, qui se laissait porter par les vagues non loin d'elle.

– Comment fais-tu ? lui demanda-t-elle.

Celle-ci lui donna quelques conseils, et Carole s'apprêtait à les suivre quand sa cousine lui montra du doigt une vague immense. Tournée

vers la plage, Carole épia par-dessus son épaule l'arrivée du rouleau. Elle ressentait toute la force sauvage de l'océan dans son dos.
– Vas-y ! s'écria Sheila.
Carole poussa sur ses pieds et fut aussitôt soulevée par la vague. Elle pouvait sentir rouler sous elle la masse bouillonnante qui l'emportait vers le rivage. Elle tendit les bras en avant et pointa les orteils comme Sheila le lui avait montré, de façon à imiter la planche de surf.
Elle était abasourdie par la puissance du courant, qui la propulsait à une vitesse vertigineuse vers la plage. Enfin, la vague se brisa, la déposant sur le sable. Carole se souvint du conseil de Sheila et prit une profonde inspiration. L'eau la submergea rapidement et l'entraîna vers le fond. Une seconde plus tard elle jaillit à la surface, secouant la tête et clignant des yeux. Elle éclata d'un rire joyeux.
C'était presque aussi amusant qu'une balade à cheval !
– C'est génial, non ? s'exclama Sheila.
– Sublime ! Sauf que j'ai du sable partout !
Sheila pouffa de rire :

– C'est inévitable ! Attends-moi ici, je vais chercher ma planche. Tu verras, c'est encore plus drôle. J'arrive tout de suite !
Carole continua à sauter et à plonger dans les vagues mourantes en attendant sa cousine. Puis elle avança un peu, jusqu'à se retrouver au niveau de leur crête. Au même instant un énorme rouleau la souleva. Carole sauta et se délecta des tourbillons d'écume qui l'emportaient. Mais la lame se démonta si rapidement que la baigneuse n'eut pas le temps de respirer et but la tasse. Elle toussa et souffla pour évacuer l'eau salée de son nez, puis elle se frotta les yeux.
Tentant ainsi de retrouver son souffle, elle ne vit pas la vague suivante arriver. Elle eut juste le réflexe d'inspirer un grand coup en sentant la lame la heurter. En un instant, elle fut happée par le courant, projetée vers le rivage, puis tirée vers le fond sablonneux sans avoir pu sortir la tête de l'eau.
Jamais elle n'avait été confrontée à une telle puissance. C'était indescriptible, aussi fort qu'un troupeau de chevaux au galop ! Ses che-

veux lui couvraient le visage, tiraillés par les remous. Son corps toucha le fond ; ses poumons étaient sur le point d'exploser. Elle devait à tout prix respirer ! Elle donna un coup de pied pour remonter.

Elle ne savait pas depuis combien de temps elle était immergée, mais voyant que l'eau s'éclaircissait, elle comprit qu'elle atteignait la surface et s'aida des bras. Elle réunit toutes ses forces pour combattre le courant et tenta de se propulser à l'aide des jambes.

« Saute, Carole, saute ! » s'intima-t-elle.

Elle émergea enfin, crachant, toussant et soufflant.

Elle était tellement soulagée de pouvoir respirer qu'elle ne songea pas tout de suite à regagner le bord. Elle s'était éloignée du rivage. Elle se trouvait maintenant derrière la ligne que dessinait la crête des vagues et, à chaque remous, le courant l'entraînait vers le large. Elle n'avait plus pied. Elle sentait le fond l'attirer irrésistiblement. Elle était épuisée.

Sheila. Où était Sheila ?

Carole plissa les yeux. Sa cousine revenait

vers l'océan avec sa planche. Carole agita le bras.
Sheila en retour leva le sien.
Carole appela à l'aide.
Sheila lui fit de nouveau signe, inconsciente du danger que courait sa cousine.
– Au secours ! cria encore Carole.
Sheila lui montra la planche et la brandit au-dessus de sa tête.
« Pourquoi ne vient-elle pas m'aider ? » se demanda Carole, tout en sachant que Sheila ne pouvait pas faire grand-chose. Si elle la rejoignait, toutes deux seraient en danger !
Elle essaya de nager, se démenant du mieux qu'elle pouvait, agitant les bras en tout sens pour garder la tête hors de l'eau. Elle était une excellente nageuse, mais il était impossible de nager dans de telles conditions. Ses bras s'alourdissaient, ses pieds battaient dans le vide. Chaque brassée devenait plus difficile ; elle s'éloignait encore du rivage !
Sheila entra dans l'océan et chercha des yeux sa cousine. Cette fois, elle comprit ce qui se passait. Carole ne jouait pas dans les vagues ;

elle était prise entre deux courants contraires qui l'emportaient vers le large. L'océan menaçait de la prendre et de la... Sheila chassa cette idée. Sa cousine était en danger. Il fallait faire vite.

– Au secours ! cria Sheila.

Elle regarda autour d'elle. Les pique-niqueurs étaient partis, et il n'y avait pas trace de garde-côte. Elles étaient seules ! Devant elle s'étendait la plage immense et déserte. Les seuls êtres vivants étaient les chevaux qui se reposaient sous les palmiers. Maverick devina le regard de sa maîtresse et leva la tête. Il dressa les oreilles et huma l'air. Le poney avait senti le danger.

Sans une seconde d'hésitation, Sheila jeta sa planche et se précipita vers les palmiers. Elle libéra Maverick et se glissa sur son dos.

– Allez, Maverick ! murmura-t-elle.

Sans qu'elle ait eu besoin de faire un geste, Maverick s'avança vers l'eau.

Carole continuait de lutter pour ne pas sombrer. Elle agitait les bras et les jambes, sans cesser pourtant de dériver vers le large.

Soudain elle sentit un courant lui happer les jambes et l'entraîner vers le fond. Elle eut juste le temps de remplir d'air ses poumons et disparut sous la houle. Les remous s'engouffraient autour d'elle, la faisant tournoyer et l'empêchant d'esquisser le moindre geste. Quand enfin elle parvint à sortir la tête de l'eau, elle avala une bouffée d'air et jeta un œil vers la plage. Qu'elle était loin ! Elle distingua avec peine les petits points noirs des palmiers et, plus proche, quelque chose qui ressemblait à une silhouette. Mais les reflets du soleil l'aveuglaient, et elle était si lasse qu'elle n'avait plus le courage de lever la main pour se protéger les yeux.
Elle plissa les paupières pour mieux voir. Quelqu'un entrait dans l'eau, monté sur un cheval. Le tourbillon la happa de nouveau. Elle prit une profonde inspiration et se prépara à être engloutie.
Maverick pénétra vaillamment dans l'océan et trotta jusqu'à la ligne de crête des vagues. Il ne rechigna pas lorsque l'eau atteignit ses genoux, battant son encolure. Sheila raccour-

cit les rênes et d'un léger mouvement de jambes le prépara à franchir les rouleaux. Maverick lui répondit avec tout son cœur et toute sa force. Il bondit par-dessus les vagues, tout comme Carole et Sheila l'avaient fait quelque temps plus tôt. Mais là Maverick ne jouait pas. Il risquait sa vie.

Sheila se leva sur la selle. Où était Carole ? Elle scruta l'océan devant elle : à cinquante mètres environ, elle vit sa cousine qui, aux prises avec les courants, se débattait pour rester à la surface. Mais ses forces semblaient la quitter.

Pendant que Maverick tentait de l'approcher, Sheila réfléchit rapidement. Elle connaissait ces courants contraires qui entraînaient sa cousine vers le fond en l'éloignant du rivage. Aucun nageur ne pouvait résister à leur puissance. Même en luttant de toutes ses forces, Carole n'en réchapperait pas. Elle s'épuiserait, et l'épuisement provoquerait sa... Sheila refusa cette idée.

Il fallait extraire Carole du courant. Pour cela, elle et Maverick devaient avancer parallèlement au rivage, au-delà de la ligne de reflux. Elle devait également faire comprendre à sa cousine qu'il fallait nager dans cette même direction.

Carole reconnut le cheval et sa cavalière. C'était sa cousine et son poney. Mais comment s'appelait le poney ? Elle ne s'en souvenait plus. Il avait un nom pourtant. Peut-être se le rappellerait-elle en nageant vers eux. Elle poussa sur ses jambes, leva un bras. Mais son bras ne lui obéissait plus.

En face, la silhouette agitait la main. Sheila lui faisait signe. Carole à son tour voulut lever la main. En vain. Son corps était trop lourd. Pourquoi sa cousine lui faisait-elle signe ? Pour qu'elle s'éloigne ? Mais oui, elle s'éloignait justement, elle partait loin, très loin. Carole songea à sa mère. Elle ne l'avait pas vue depuis longtemps. Quelque chose lui était arrivé, mais quoi ? Elle ne le savait plus. Sa mère lui manquait. Où était-elle ? Était-elle encore loin ? Un courant s'empara de nouveau de son corps. Carole frissonna. Elle avait froid. Sheila se rendit compte que sa cousine ne comprenait pas qu'elle devait nager en travers du courant. Il le fallait pourtant. C'était sa seule chance d'y échapper.

Elle talonna légèrement Maverick, qui accéléra l'allure. Quand il n'eut plus pied, il se mit à nager, avec force et courage, portant toujours Sheila sur son dos.

– Carole ! appela Sheila. Nage à gauche !

Mais Carole ne l'entendait pas. Maverick continuait sa progression. Sheila savait qu'à tout moment les courants contraires pouvaient les entraîner à leur tour, elle et son poney, mais elle savait aussi qu'ils étaient en train d'emporter sa cousine. Soufflant pour évacuer l'eau salée de ses naseaux, Maverick nageait courageusement, il nageait sans faiblir.

Soudain, Carole ne se sentit plus attirée par les fonds. L'infernal tourbillon semblait avoir cessé. Elle avait toujours conscience des mouvements de l'océan autour d'elle et des remous des vagues. Mais plus de tourbillon. Elle se mit sur le dos et regarda le ciel bleu. Elle étendit doucement les bras, puis les jambes, et ferma les yeux. Elle était fatiguée,

très fatiguée. Une irrésistible envie de dormir la gagnait.
C'est alors que Sheila vit sa cousine, qui, les yeux fermés, flottait au gré de la houle. Si elle ignorait comment Carole était arrivée jusque-là, elle était au moins certaine d'une chose : sa cousine était sortie du courant. Maverick pouvait nager jusqu'à elle sans danger.
– Allez, Maverick, dit-elle à son poney, qui se dirigea aussitôt droit sur Carole.
– Carole ! Carole ! appela-t-elle tandis qu'ils approchaient.
Carole ne dit rien, mais elle leva doucement un bras en guise de réponse. Cet étrange signe rassura Sheila : sa cousine était bien vivante.
Il leur fallut quelques minutes avant d'arriver à sa hauteur. Carole dérivait doucement, à moitié consciente.
Sheila se pencha sur la selle et attrapa sa cousine par le bras.
– Allez, Carole, c'est fini ! Tout va bien ! dit-elle d'une voix qu'elle voulut assurée pour encourager sa cousine.

– Laisse-moi dormir, répondit celle-ci. Je suis fatiguée.
Elle ferma les yeux et fit mine de se retourner, exténuée.
Sheila tira alors de toutes ses forces sur son bras jusqu'à la sortir presque entièrement de l'eau. Carole était incapable de grimper d'elle-même sur le poney, et Sheila ne pouvait l'allonger en travers de la selle, car elle risquait de tomber.
Après maints efforts, elle parvint finalement à la hisser devant elle. Une fois à califourchon sur la selle, Carole s'affaissa de tout son poids sur l'encolure de Maverick. C'était tout ce que Sheila pouvait faire. Elle fit signe à son poney de regagner le rivage.
Carole sentit l'odeur du cheval. Son encolure était couverte d'écume. Elle ne savait pas de quel cheval il s'agissait, mais assurément il était très brave.
– Tu es un bon cheval ! murmura-t-elle.
Elle ferma les yeux. Ce cheval méritait qu'on le caresse et qu'on le choie. Elle s'occuperait de lui. Il était le cheval le plus courageux

qu'elle eût jamais connu. Elle l'entoura de ses bras et l'embrassa.
Sheila ne se demandait pas pourquoi Carole se tenait ainsi serrée contre l'encolure de Maverick ; de cette façon, au moins, elle ne risquait pas de tomber à l'eau.
De lui-même, Maverick se dirigeait vers le rivage. Sheila se doutait qu'il était épuisé, elle-même l'était, mais elle savait aussi qu'il leur fallait rejoindre le sable le plus vite possible.
Elle ne quittait pas des yeux la plage, comme si cela pouvait aider Maverick à se guider à travers les rouleaux qui se brisaient sous son ventre. Le courant les portait dans la bonne direction maintenant, et chaque fois qu'une vague refluait, Maverick la sautait, progressant vers le sable sec.
C'est alors que Sheila remarqua des gens sur la plage. Certains surveillaient aux jumelles leur avancée, d'autres accouraient, visiblement pour leur venir en aide. Elle crut voir un homme entrer dans l'eau avec des gilets de sauvetage et des cordes, et, au loin, il lui sembla distinguer une ambulance. Puis elle vit son

père, au bord du rivage, et à ses côtés Oncle Mitch.

Mais elle était lasse et sa vue se brouillait. Tout ce dont elle était certaine, c'est que Maverick, Carole et elle-même seraient bientôt en sécurité.

Maverick luttait contre les vagues, luttait contre sa fatigue, portant toujours les deux filles sur son dos. Soudain Sheila sentit que ses sabots touchaient le fond. Il marchait maintenant, il ne nageait plus. Il fit deux pas, puis s'arrêta. Et sans que Sheila ait fait le moindre mouvement ni prononcé la moindre parole, dans un dernier sursaut d'énergie il se dirigea vers la plage, jusqu'au moment où il atteignit le sable sec. Il les avait sauvées !

Sheila entendit des voix. Elle vit des bras et des mains se tendre vers elle et Carole. Elle sentit Maverick hoqueter péniblement et s'affaler sur le sable.

Puis plus rien.

11

Lisa posa le dernier bol dans le lave-vaisselle, poussa le casier à couverts et referma la porte. Puis elle entreprit d'essuyer la vaisselle entassée dans l'égouttoir. Quand elle se rendit compte qu'elle utilisait le pan de sa propre chemise en guise de torchon, elle voulut bien admettre que, ce matin-là, son esprit était accaparé par autre chose que la table du petit déjeuner à débarrasser. Un coup d'œil dans le lave-vaisselle confirma ses soupçons : le

beurre trônait au beau milieu !
Elle se dépêcha de l'en retirer, le rangea dans le réfrigérateur, puis remonta dans sa chambre. Elle résolut de terminer son devoir de sciences physiques, mais fut incapable de se concentrer sur le courant électrique. Toutes ses pensées étaient tournées vers Alice Jackson.
Elle ferma son cahier et grimpa sur son lit. C'était le meilleur endroit pour réfléchir, surtout lorsque Dolly, sa chienne, la rejoignait. Le colley ne se fit pas prier et bondit à ses côtés. Lisa l'entoura de ses bras, et Dolly posa la tête sur les genoux de sa maîtresse.
Steph et elle avaient essayé d'aider Alice, et elles avaient pensé qu'elle leur en serait reconnaissante. Pourquoi Alice ne l'était-elle pas ? Pourquoi s'était-elle mise en colère ? Steph et Lisa avaient agi en amies. Alice n'appréciait-elle pas leur amitié ?
Lisa secoua la tête. Depuis trois jours, elle se posait les mêmes questions. Et pourquoi, finalement ? Ne ferait-elle pas mieux d'aller chercher la réponse, tout simplement ? On était jeudi. Il y avait une reprise l'après-midi. Alice

devait en principe y assister, mais, si Steph avait bien entendu, elle ne s'y trouverait justement pas. Ce qui peinait Lisa – en dehors de la colère qu'Alice leur avait manifestée –, c'était bien le fait que leur nouvelle compagne ne veuille plus monter à cheval. C'était de leur faute, même si elles ne l'avaient pas désiré. Lisa en était profondément attristée.

Elle devait en parler avec Steph. Elle descendit au salon et décrocha le combiné du téléphone.

– Allô ? Steph ?

Son amie partageait son désarroi :

– Je ne peux pas croire qu'elle ne veuille plus monter à cheval !

– Et si c'est le cas, c'est de notre faute, ajouta Lisa.

– Mais je voudrais comprendre pourquoi ! s'exclama son amie.

– Ça ne nous regarde peut-être pas..., remarqua Lisa.

Il y eut un silence. Steph était d'une curiosité insatiable, et il lui était difficile d'imaginer que certaines choses ne la concernaient pas.

Mais Lisa percevait le problème autrement. Steph et elle-même avaient sans doute sous-estimé les motifs pour lesquels Alice ne voulait pas faire de saut d'obstacles. Et sans doute avaient-elles eu tort. Alice avait certainement de sérieuses raisons qui l'empêchaient de sauter, et elle ne pouvait tout simplement pas en parler. Lisa fit part de ses impressions à Steph.
– Mais quelles peuvent être ces raisons ? réfléchit Steph à haute voix.
– Ce ne sont pas nos affaires, Steph !
– Tu veux dire qu'on s'est mêlées de ce qui ne nous regarde pas ? demanda son amie.
– Oui, c'est ça !
– Dans combien de temps peux-tu être là ? lui demanda alors Steph.
Steph tenait rarement en place, et lorsqu'elle avait une idée en tête, elle la réalisait sur-le-champ.
– Un quart d'heure, ça te va ? lui proposa Lisa.
– Ça marche !

Lisa s'habilla et prépara ses affaires pour la

reprise de l'après-midi. Quinze minutes plus tard, elle frappait à la porte de Steph.

– Il faut que nous parlions à Alice, dit celle-ci en lui ouvrant. Elle doit absolument faire la reprise avec nous. Si elle rate un cours, elle risque de ne plus remonter à cheval avant longtemps.

– Allons lui présenter nos excuses, proposa Lisa.

– Oui, et tout de suite, approuva Steph.

Elles se rendirent chez Alice. Elles avaient bien songé à l'appeler, mais s'étaient ravisées en considérant qu'il serait plus facile de lui parler en face.

C'est Alice qui ouvrit la porte.

– Qu'est-ce que vous voulez ? leur demanda-t-elle.

– Nous sommes venues te dire que nous sommes désolées…, commença Lisa.

– Vous pouvez l'être ! la coupa Alice.

– Nous voulions te rendre service, reprit Lisa.

– Je ne vous ai rien demandé ! Mes problèmes ne vous regardent pas ! rétorqua Alice.

– C'est vrai ! répondirent Lisa et Steph d'une même voix. Nous sommes vraiment désolées, ajouta Lisa.
– Mais si jamais tu décides de ne plus monter à cheval à cause de nous, alors là, ça nous regarde, renchérit Steph. Tu aimes l'équitation autant que nous, et nous ne pouvons pas accepter que tu ne montes plus par notre faute !
– Viens à la reprise, s'il te plaît ! insista Lisa.
– Personne ne t'obligera à sauter ni même à nous parler. Nous sommes désolées, répéta Steph. Vraiment désolées.
Alice se tenait immobile et silencieuse dans l'embrasure de la porte. Soudain, des larmes se mirent à couler sur ses joues.
Steph se sentit terriblement mal à l'aise, mais elle comprit que toute autre parole serait inutile.
– La reprise commence à deux heures, se contenta-t-elle de dire.
– Viens, on t'attend ! dit gentiment Lisa.
Alice referma doucement la porte.
C'était fini. Il ne restait plus à Steph et à Lisa

qu'à se rendre au Pin creux et s'attaquer à leurs tâches habituelles. Un même espoir cependant les animait : qu'Alice se montrerait à la reprise.

12

À travers une brume légère, Carole percevait des mouvements. Le monde autour d'elle scintillait. Des lumières à la surface ! Elle ouvrit grand la bouche pour respirer. Une bouffée d'oxygène envahit ses poumons.
Elle ouvrit les yeux. Il lui fallut quelques secondes pour comprendre ce qui se passait. Des gens s'affairaient autour. Les lumières étaient celles du plafond, et l'air frais arrivait par le masque posé sur son visage. Elle était

dans un hôpital. Sheila était alitée à côté d'elle. Elles étaient entourées de leur famille, de médecins et d'infirmières.
– Eh ! Ma grande ! lui dit doucement son père. Tout va bien... Sheila est là aussi. Vous nous avez fait une sacrée peur !
– C'était horrible, papa ! souffla Carole. Je n'arrivais plus à remonter à la surface.
– Tu étais prise entre deux courants contraires, expliqua Oncle Willie. Ils tirent les nageurs sous l'eau avant que ceux-ci puissent faire quoi que ce soit. Tu as eu de la chance, tu sais !
Carole tourna la tête vers le plafond. Les remous puissants de l'eau lui revenaient peu à peu en mémoire. Et un cheval. Il y avait eu un cheval, elle en était sûre !
Dans le lit voisin, Sheila s'assit :
– Comment ça va, Carole ?
Tout à coup, Carole se souvint : elle s'était retrouvée sur le poney avec sa cousine. Maverick avait bravé la puissance formidable du courant et nagé jusqu'à elle à travers les rouleaux.

– Tu m'as sauvé la vie, n'est-ce pas? lui demanda Carole.
– Maverick nous a sauvé la vie, rectifia Sheila.
– Comment va-t-il?
– Le vétérinaire est venu le chercher sur la plage, expliqua Oncle Willie... J'ai dit au vétérinaire que nous l'appellerions, et puis ton père et moi avons suivi l'ambulance jusqu'ici. Je suis désolé, je ne sais pas comment il va. Il s'est effondré comme vous deux sur la plage. Mais il est vivant. Jamais je n'ai vu un cheval aussi déterminé...
– Il m'aime, papa, dit Sheila.
– C'est ce que j'ai dit, murmura à cet instant Tante Joanna, des larmes dans la voix. Il t'aime tant qu'il a soulevé pour toi des montagnes d'eau!
Les quelques heures suivantes, Carole se retrouva à la merci d'une équipe de médecins qui lui firent subir toute une série d'examens. Elle fut radiographiée de la tête aux pieds, et chaque contusion fut soigneusement pansée. Carole fut étonnée de voir combien elle avait

d'égratignures et de bleus. Son corps avait été malmené par le courant et heurté par les fonds sablonneux.
Enfin, Sheila et elle furent autorisées à quitter l'hôpital.
– Dormir, répéta le docteur. Il faut qu'elles dorment. Elles en ont besoin toutes les deux.
Carole n'en doutait pas. Elle était même prête à suivre la prescription à la lettre, et sur-le-champ ! Enfin, juste après une visite à Maverick.
Aucun des parents n'éleva d'objection : le poney avait sauvé leurs filles.
Oncle Willie les conduisit à la clinique. Le vétérinaire était en train d'ausculter Maverick, étendu dans un box sur de la paille fraîche. Il ôta l'instrument de ses oreilles et leva les yeux vers les visiteurs.
– Comment va-t-il ? demanda Sheila.
– Pas trop mal, répondit le vétérinaire, mais il est épuisé. Il a de l'eau dans les poumons. Mais ce qui m'ennuie, c'est son rythme cardiaque. Il est affaibli. Il est difficile d'imaginer

qu'il sortira indemne d'une telle expédition. Pour l'instant, il faut surveiller son cœur.
– Est-ce que je peux le voir ? demanda Sheila.
– Bien sûr !
Le vétérinaire se leva et ouvrit la porte.
Sheila s'assit près de son poney et lui caressa l'encolure. Maverick ouvrit les yeux, puis tourna le regard vers elle. Sheila étendit les jambes et posa la tête du poney sur ses genoux. Il ferma de nouveau les yeux, confiant, et se détendit.
– Ça va aller, Maverick, ça va aller…, lui dit-elle doucement. Tu es le poney le plus courageux du monde. Sans toi, Carole se serait noyée ! Jamais je n'aurais pu la sauver toute seule. Ça va aller, Maverick, tu vas voir. Tu vas guérir vite. Tu as réussi à nager jusqu'au rivage, tu peux bien revenir jusqu'à nous maintenant. S'il te plaît, Maverick ! Fais-le pour moi. Je crois que je ne pourrais pas…
Sheila termina sa phrase à voix basse, mais Carole devina le sens de ses paroles. Jamais elle n'avait été témoin d'une telle complicité entre un cheval et son cavalier : elle avait vu

Maverick et Sheila ne former qu'une seule personne ; le poney avait risqué sa vie quand sa maîtresse l'en avait prié ; et maintenant, il revenait à la vie comme Sheila le lui demandait. À chaque caresse, il semblait reprendre des forces. C'était incroyable !

Carole était trop fatiguée pour rester debout. Elle s'assit contre la porte du box et regarda Sheila et son cheval. Son père, Tante Joanna, Oncle Willie et le vétérinaire les contemplaient aussi en silence, troublés par la magie de la scène.

– Personne ne t'éloignera de moi, poursuivit Sheila. Tant que je vivrai, nous ne nous quitterons pas. Et si tu boites, je m'occuperai de toi. Peu m'importe si je ne peux plus te monter ! Pour rien au monde je ne voudrais un autre cheval. Tu es mon seul et unique ami et…

Sheila ne put poursuivre. Des sanglots brisèrent sa voix. Les larmes coulaient sur ses joues et tombaient sur la crinière soyeuse de Maverick, se mêlant au sel de l'océan.

Maverick se blottit contre Sheila. Malgré sa fatigue, il voulait réconforter sa maîtresse.

Le vétérinaire s'accroupit et posa son stéthoscope sur le poitrail du poney. Puis il releva la tête et sourit.
– Son cœur va mieux, dit-il. Et c'est grâce à vous ! ajouta-t-il à l'intention de Sheila.
– Il m'a sauvé la vie, répondit-elle simplement.
Puis elle se tourna vers ses parents :
– Vous ne me forcerez plus à le vendre, n'est-ce pas ? Maverick et moi ne pouvons pas nous séparer, vous comprenez ?
Tante Joanna pleurait. Elle ne put répondre. C'est Oncle Willie qui prit la parole :
– Un cheval capable de risquer sa vie pour toi peut rester avec toi aussi longtemps que tu le voudras. Maverick fait dorénavant partie de la famille. C'est promis, Sheila.
Sheila se pencha contre l'oreille de Maverick.
– Tu as entendu, Maverick ?
Le poney souffla et battit doucement les paupières.
– Comment va-t-il ? demanda Sheila.
Le vétérinaire posa une main sur le poitrail du poney : sa respiration était régulière, profonde, proche de la normale.

– Beaucoup mieux ! dit-il. Il dort. C'est ce dont il a besoin.
Délicatement, Sheila souleva la tête de Maverick et la reposa doucement sur un oreiller de paille fraîche. Puis elle se pencha et, tout en lui caressant l'encolure, lui murmura des paroles douces au creux de l'oreille. Maverick la regarda, puis, rassuré, referma les yeux. Il soupira de bien-être et se rendormit.
Sheila se leva. Ils pouvaient partir à présent. Carole et elle-même avaient aussi besoin de dormir.

13

Au moment où Steph et Lisa se dirigeaient vers la porte d'entrée du club pour voir si Alice était là, Mme Reg les appela. Avant même que les filles aient eu le temps d'ouvrir la bouche, elle leur donna toute une série de corvées à faire avant la reprise. Ni l'une ni l'autre ne bronchèrent ; elles n'ignoraient pas que Mme Reg avait de justes raisons d'être en colère contre elles.

Elles se mirent au travail. Elles préparèrent des

ballots de foin dans le hangar, qu'elles portèrent aux écuries. Puis elles nettoyèrent le box de Délilah et, enfin, sellèrent leurs chevaux. C'est en entrant dans le manège qu'elles virent avec soulagement Alice sur Comanche.
Elles allaient lui dire combien elles étaient heureuses de la voir quand Max frappa deux fois sa cravache contre sa botte : la reprise commençait. Les filles n'osèrent pas braver l'interdiction de parler pendant le cours.
La reprise commença par les exercices habituels : pas, trot, galop, puis volte et demi-volte au trot assis afin que chacun travaille son assiette. Ensuite, comme c'était les vacances, Max suggéra que l'on fasse des jeux.
Il nomma Steph pour les mener, et ce n'était pas un hasard : non seulement Steph était inventive, mais elle ne craignait pas le ridicule. Et elle ne le déçut pas. Elle entraîna les cavaliers dans de curieuses figures en forme de 8 à travers le manège, puis se dirigea vers la barrière, qu'elle ouvrit et referma avant de poursuivre son parcours. Un cavalier qui avait oublié de refermer la barrière fut éliminé.

Steph posa alors les rênes sur l'encolure et leva les bras, guidant son cheval à l'aide des jambes. Elle et Flamme excellaient dans cet exercice. Trois autres élèves furent éliminés. Il fallut peu de temps à Max pour prendre en défaut deux autres cavaliers, dont Lisa, parce qu'elle pouffait de rire. Alice et Steph furent bientôt les dernières à évoluer dans le manège. Alice faisait un sans-faute. Max les déclara ex æquo, il remercia Steph et félicita Alice.

Ensuite, il forma deux groupes de quatre cavaliers et posa au centre du manège un bac d'eau et deux seaux. Les cavaliers de chaque équipe devaient aller jusqu'au bac, attraper un seau et le remplir sans descendre de leur monture. Puis ils devaient le rapporter au cavalier suivant de leur camp, qui repartait à son tour vers le bac, pour cette fois vider le seau. Lisa approcha prudemment et réussit du premier coup à attraper le seau. Steph, quant à elle, était si pressée qu'elle dut s'y reprendre à trois fois avant de faire passer Flamme devant le bac.

Puis Max lança leur jeu favori : le pistolet à

eau. Aussitôt, chaque cavalier sortit son propre pistolet, ce qui décontenança quelques secondes le moniteur. Finalement, il organisa le jeu de la façon suivante : pendant qu'un cavalier s'approchait de la cible, au fond du manège, tous les autres l'arrosaient au passage. Plus le cavalier était rapide, moins il était mouillé. C'était si drôle que la séance se termina dans la confusion la plus totale, giclées d'eau et éclats de rire mêlés !

Lisa avait l'impression que Max se retenait de rire, mais elle ne l'aurait pas juré. L'absence de discipline ne l'amusait en général pas beaucoup…

– Hum… hum ! les rappela-t-il à l'ordre.

Peine perdue ! Les cavaliers continuaient de s'arroser de plus belle.

– En place ! gronda-t-il cette fois d'une voix qu'il voulut sévère.

Mais personne ne l'écoutait.

– Eh bien, puisque c'est comme ça…

Et il sortit un énorme pistolet à eau, qu'il pointa sur les cavaliers. Il y eut un silence. Les élèves étaient estomaqués de voir leur moni-

teur, si sérieux d'habitude, les menacer d'un pistolet à eau géant.
– J'ai bien envie d'essayer cette chose, grommela Max.
Il tourna le canon vers une des cibles en papier, appuya sur la gâchette... Un énorme jet en jaillit, crevant la cible. Quand il n'y eut plus d'eau, Max ramena le canon vers lui et souffla une fumée imaginaire. Puis il le rengaina et se tourna vers ses élèves :
– Alors, c'est qui le shérif, ici ? lança-t-il à la manière des cow-boys.
– C'est toi, Max ! répondirent en chœur les cavaliers.
– Et quand le shérif dit quelque chose, qu'est-ce qu'on dit ?
– OK ! répondirent de nouveau en chœur les élèves.
Max brandit son revolver d'un air menaçant :
– Alors, déguerpissez, le cours est fini !
Lisa regarda sa montre. Les reprises lui semblaient toujours passer vite, mais elle avait du mal à croire que celle-ci avait duré une bonne heure ! Jamais Max n'avait été si drôle, et Lisa

ne s'était jamais autant amusée !
Tout essoufflés et riant encore, les cavaliers regagnèrent à contrecœur l'écurie. Lisa rejoignit Steph.
– C'était génial, non ? dit Lisa. Carole va être verte quand elle apprendra ce qu'elle a raté !
– Tu plaisantes ! N'oublie pas qu'elle s'éclate en Floride ! À l'heure qu'il est, elle est peut-être en train de galoper au bord de l'océan sous le soleil couchant !
– Steph ? Lisa ? appela une voix derrière elles.
Elles se retournèrent. Alice s'avançait vers elles en trottant.
Maintenant qu'Alice leur faisait face, Steph et Lisa, encore excitées par la reprise, ne savaient plus quoi dire.
– Je, nous…, commença Lisa.
– C'est bon, la rassura Alice. Je voulais simplement vous remercier.
– Nous remercier ? s'étonna Steph. Mais de quoi ?
– De m'avoir fait venir à la reprise !
– Oh, Alice ! s'exclama Lisa. C'est nous qui te remercions.

Et elle le pensait vraiment. Cette fois, elles avaient fait quelque chose de juste, et la présence d'Alice le confirmait.

14

– Glace au fromage blanc et à la framboise avec noix de pécan et marrons glacés, et bien sûr des cacahuètes, commanda Steph à la serveuse de chez Sweetie.

– J'ajoute du caramel au beurre salé ? proposa innocemment cette dernière.

Steph grimaça et secoua la tête. La serveuse fit une moue victorieuse et retourna au bar. Cette fois, elle avait réussi à dégoûter Steph.

– C'est génial de vous retrouver ! s'exclama Carole.
– Tu t'es bien amusée en Floride ? demanda Lisa.
– Oui, raconte-nous. Tu as fait une balade à cheval au bord de la mer ? s'écria Steph.
– Et comment ! répondit Carole.
Et elle entreprit de leur faire le récit détaillé de ses vacances : le pique-nique familial, la journée à Disneyworld et, enfin, la mésaventure dans l'océan et le sauvetage par Maverick et Sheila.
– Je n'ai jamais entendu parler d'un cheval capable de sauver un naufragé ! s'exclama Lisa.
– Les chevaux sont d'excellents nageurs, lui expliqua Steph.
– Oui, mais lui a fait plus que nager, insista Carole. Il s'est comporté en héros ! Le journal régional lui a réservé une page entière. Quelqu'un a pris des photos pendant qu'il revenait vers le rivage. Et ce matin, le téléphone a sonné et…
– C'était un journaliste qui voulait faire des interviews ? l'interrompit Steph.

– Non ! Quelqu'un qui voulait acheter Maverick !

– Ton oncle et ta tante ne l'ont tout de même pas vendu ! s'exclama Lisa.

– Ils ne le vendraient pas même pour un million de dollars ! répondit joyeusement Carole. Joanna s'amuse à faire monter les enchères. Tu penses bien que l'acheteur s'est vite découragé. Cette fois, ma tante a assuré !

Et elle leur raconta comment sa tante avait essayé de pousser son père et Midge dans les bras l'un de l'autre. Et combien tous deux désespéraient de lui faire comprendre que ces tentatives étaient inutiles !

– Midge et papa ont gentiment joué le jeu pour ne pas blesser Tante Joanna, mais elle, elle n'y a vu que du feu ! poursuivit Carole. J'adore Tante Joanna, elle est formidable, mais quand elle se mêle de ce qui ne la regarde pas, c'est une vraie catastrophe !

Lisa grimaça.

– Elle n'est pas la seule ! Je crois que dans ce domaine, Steph et moi, on n'est pas mal non plus…

Et elle lui raconta comment elles avaient involontairement blessé Alice.
– Tu comprends, ajouta Steph, on pensait qu'en sautant ce tronc, elle surmonterait sa peur. D'ailleurs, elle a sauté. Diablo a adoré, mais Alice, non !
– Elle n'avait pas besoin d'aide, conclut Lisa.
– Tu crois ? demanda Carole. Je crois plutôt qu'il y a une différence entre les gens qui demandent qu'on les aide, et ceux qui ne le demandent pas. Alice a certainement besoin d'être aidée, mais pour l'instant, elle ne veut pas en entendre parler, et nous n'avons pas su la comprendre.
Avec ce « nous », Carole s'incluait dans le groupe, suggérant qu'elle aurait sans doute fait la même erreur. Lisa trouva son attitude généreuse.
– Peut-être qu'on aurait pu l'aider en parlant avec elle de sa peur, poursuivit Carole.
– Je suis d'accord avec toi, mais je voudrais bien comprendre pourquoi Alice ne veut pas sauter ! commenta Steph.
– Moi, je crois que je connais la réponse, sug-

géra Lisa. Ça ne nous regarde pas !
– Bravo ! s'exclama Carole. Au moins, on a appris quelque chose !
Les glaces arrivèrent. La serveuse posa la dernière coupe devant Steph.
– Je n'ai pas pu résister, dit-elle. L'extra est offert par la maison.
– Merci, dit Steph. C'est trop gentil !
Quand elle fut partie, Steph examina sa glace :
– Je m'en doutais ! s'esclaffa-t-elle. J'ai trouvé le moyen d'avoir de la crème de cassis gratuitement !
– Et Maverick ? demanda Steph en avalant sa première bouchée. Est-ce que Sheila pourra continuer à le monter ?
– Oui, répondit Carole. Le vétérinaire a conseillé de le mettre au repos, mais d'ici quelque temps elle pourra le sortir de nouveau. Et surtout, il n'est plus question de le vendre ! Oncle Willie a résolu le problème : il a acheté un autre cheval à Sheila. Hier matin, nous sommes tous allés au haras, et nous avons trouvé un hongre magnifique, un pursang de sept ans. Un mètre soixante-dix au

garrot, bai avec une ligne blanche sur le front, un peu comme une étoile filante. Ils sont allés le chercher aujourd'hui, pendant que papa et moi étions dans l'avion.

– Comment va-t-elle l'appeler ? demanda Steph.

– Je crois que je sais ! annonça Lisa.

– Ah bon ? s'étonna Carole.

– C'est à cause de la mer, de ton aventure avec Maverick..., commença Lisa.

– Tu n'es pas loin..., admit Carole.

– Alors, j'ai pensé à Hippocampe, conclut Lisa.

– Tu es géniale ! s'exclama Carole. C'est bien ça, Hippocampe !

– Vraiment ? s'étonna à son tour Steph.

– Vrai de vrai ! répondit Carole. Son nom est Hippocampe.

– Tu te moques de nous ! dit Steph en fronçant les sourcils. Vous aviez tout prévu, n'est-ce pas ?

– Comment ça, tout prévu ? demanda Carole.

– Sheila et toi avez cherché une solution pour que Maverick ne soit pas vendu. Vous êtes donc allées vous promener sur la plage, toi, tu t'es fourrée dans le courant et tu as fait mine de te noyer, Sheila et Maverick ont accouru, et voilà, le tour est joué !

– Tu sais quoi ? ajouta Carole, au bord du fou rire. Eh bien, j'ai eu cette idée toute seule. Ou presque, car je me suis dit : « Que ferait Steph dans de pareilles circonstances ? » Et là, j'ai décidé de risquer ma vie et celles de Sheila et de Maverick pour convaincre mon oncle et ma tante de garder le poney, et d'acheter un autre cheval pour que ma cousine gagne des concours ! C'était tordu, mais ça a marché !

– Bravo ! s'exclama Steph en pouffant. Comme quoi, rien n'est impossible pour un membre du Club du Grand Galop !

FIN

PASSION DE LIRE

601. Les trois font la paire
602. Il faut sauver le club !
603. Une Étoile pour le club
604. En vacances au ranch
605. Tricheries au club !
606. Pour l'amour d'un cheval
607. Un cheval pour pleurer
608. Une naissance au club
609. Coups de cœur au club
610. Aventures au Far West
611. Un concours à New York
612. Le club prend des risques
613. Un poulain en danger
614. Rodéo pour le club
615. Au galop sur la plage
616. Une sacrée équipe !
617. Kidnapping au club
618. Une randonnée très périlleuse
619. Une star au Pin creux
620. Un si lourd secret
621. Panique au Pin creux
622. Un défi pour le club
623. Des vacances mouvementées
624. Lune de miel au Pin creux
(à paraître en septembre 2000)

Impression réalisée sur CAMERON
par BRODARD ET TAUPIN
La Flèche
en juin 2000

Imprimé en France
Dépôt légal : juillet 2000
N° d'Éditeur : 6182 – N° d'impression : 2481